講談社文庫

喋る男

樋口卓治

講談社

『喋る男』——おもな登場人物

安道《あんどう》紳治郎《しんじろう》　日堂《にちどう》テレビの窓際アナウンサー。突然、ＡＩ開発局に異動になる

永野《ながの》萌香《もえか》　売れっ子アナウンサー。日堂テレビのスポンサーの令嬢

新海《しんかい》拓馬《たくま》　異例の若さで社長に就任した。制作局出身

疾川《はやかわ》順太郎《じゅんたろう》　伝説のフリーアナウンサー。安道の憧れの存在

稲垣《いながき》正貴《まさたか》　アナウンス部長。〝流星の滑舌〟と呼ばれていた

瓜坂《うりさか》真理男《まりお》　ＡＩ開発局局長。アンドリューから出向してきた

トミー・マクレガー　ＡＩ開発局のプログラマー

宮川《みやがわ》倫也《ともや》　安道の学生時代のライバル。アナウンス研究会の部長だった

坂本《さかもと》鏡之介《きょうのすけ》　香具師。稲垣と疾川にかつて修業をつけていた

徳山《とくやま》紀男《のりお》　元ラジオ局のアナウンサーで、現在はフリー

若林《わかばやし》大八《だいはち》　安道の同期。制作局からＡＩ開発局に異動になる

喋る男

窓際アナウンサー

三番が赤く光った。安道紳治郎《あんどうしんじろう》は三回点滅した後、受話器をとった。

「日堂《にちどう》テレビでございます。いつもご視聴ありがとうございます。本日はどういったご用件でしょうか」

丁寧な口調に明朗さを混ぜ会話のリズムを作る。

紳治郎は左手で受話器を持ち、右手でメモを取りながら、「なるほど」と「はい」を使い分けた。

「まとめますと、先ほど番組で紹介されたハンバーグ屋は手ごねではないのに、あたかも手ごねであるかのような表現をしていたというご指摘ですね。スタッフに確認してすぐ対処させていただきます。貴重なご意見ありがとうございました」

電話を切った後、メモを少し眺め、丸めてゴミ箱に捨てた。団子のような紙くずがまた一つ増えた。

クレーム対応は感情を見せず、下手《したて》に出ず、自分のリズムを崩さないことが一番の解決法だと、ここ二年の経験で学んだ。

番組へのクレームに関しては、総務部でも対応しているが、アナウンサーのスキル向上のため、一回線だけアナウンス部にもクレーム専用の番号がある。それが三番だ。本来はアナウンサーが交代で電話応対をすることになっていたが、いつのまにか紳治郎の役割になっていた。

昼過ぎのアナウンス部は人もまばらだ。

見渡せば、収録を控え化粧を直している者、パンをかじりながらボーッとしている者、赤ペンで台本に何か書き込んでいる者がいる。

奥の方で後輩アナウンサーが、声を張り原稿を読み上げているが、それは愚の骨頂だ。声が空気に触れた時点で、もう言葉は死んでいる。

アナウンサーは消耗品だ。浅はかな台本にやすやすと乗って消耗されたくない。芸能事務所ならタレントの価値を守ってくれるマネージャーがいるが、アナウンサーは我が身を自分で守らなければならない。中になんでも引き受けるアナウンサーもいるが、そうは絶対になりたくない。

この中に、喋りについて真剣に考えている者がどれくらいいるのだろうか？　喋るサラリーマンか、女子アナと呼ばれることに抵抗のない者の二パターンしかいないだろう。

今、モニターに映っている永野萌香《ながのもえか》は別だ。

永野は、丈の長いカーディガンを着た若手俳優と商店街をぶらぶら歩いていた。若手俳優は休日をどう過ごしているかなど、たわいもないことを、あえてぼそぼそと低いトーンで話し、それを永野は笑顔で聞いていた。

紳治郎の隣で、新人の水森《みずもり》が声に出して台本の下読みをしている。水森は研修中、大地震をダイジシンと読み、時期尚早をジキソーショーと、平然と読み間違える大物ルーキーだ。研修担当だった紳治郎が、オオジシン、ジキショーソーであると指摘しても、肩をすくめ、ぺろっと舌を出してやり過ごした。

下読みを横で聞いていて、ある箇所に引っかかった。「本日のゲストはＡＫＢ48《フォーティーエイト》のみなさんです」という箇所だ。

「水森さん、水森さん」二回目の呼びかけで、彼女は大きな瞳をキラキラさせてこちらを向いた。

「日堂テレビの長音の原則はどうなっていたかな？」

「チョーオンノ、ゲンソク？」

初めて聞いた言葉かのようにおうむ返しをした。

「長音だよ、わからないかな？　母音を長く伸ばし発声するものです」

鳥のように首を傾《かし》げているので、「わたしが研修の時、ちゃんと教えましたよー」と慇懃《いんぎん》に言い、「あなたは、えぃ、けぃ、びぃ、と長音をひらがな読みしたけど、日堂テレビは原則、長音はカタカナのように伸ばすと決めているんだよ。だから、AKBはエー、ケー、ビー、って発音になるんだ」。

「あ、そうなんですね、初めてのゲストさんだったので、丁寧に言った方がいいかと思って」

とわけのわからない理由を言ってきたので、こっちもスイッチが入った。

「この前のリポートでもおかしなところありましたよ。ラーメンとみそラーメンの『ら』の発音がおかしかったよね。つまり、Lのら、Rのら、の使い方がバラバラなんだ。ラーメンは『Lのら』、舌を上顎《うわあご》の前歯の方に押し付けて『ら』ね、みそラーメンは『Rのら』、Rの時は舌を丸めて上顎で弾くか弾かないかで『ら』って使い分けてほしいんだな」と滑舌よく、口を大きく開けて、舌の使い方を具体的に教えたが、水森の表情は明らかに強張《こわば》っていた。

周りに救いを求めるような顔を見せたので、「まあ、君もいろいろ大変だけど、頑張ってください」と話を終わらせた。同時に水森は席を立ってどこかへ行ってしまった。

再び三番が赤く光ったが、誰も取ろうとしない。

三回点滅した後、紳治郎が受話器を取った。

電話の内容は、若手俳優の声がボソボソと小さくて聞こえづらいので、音量を上げろというものだった。

いつからテレビに、やる気のない者が、出られるようになったのか。映画の番宣だかなんだか知らないが、出演する以上、爪痕《つめあと》を残そうとは思わないのか？　俺は役者でバラエティタレントではありませんという傲慢《ごうまん》なスタンスに、スタッフは怒りを覚えないのか？　打ち合わせで何も言えず、本番でニコニコカメラを回し、はいオッケーですと言ってる姿が目に浮かぶ。

ちなみに紳治郎はそんなスタッフに嫌われている。

理解できない演出には食ってかかった。

「めくったのに、まためくりがあるって、おかしくないか？」

めくりとは、フリップやボードの一部を隠しているシールのことで、シールを剥《は》がした時にまた一部を隠してある演出はおかしいと紳治郎はディレクターに食ってかかったのだ。

「視聴者は、めくりを剝がした時に理解したいんだぞ。段取りが増えるのは、制作陣の都合だ、もっと簡潔にしないと伝わらないぞ」

紳治郎は面倒臭いアナウンサーというレッテルが貼られ、次第に仕事が減ってゆき、気がつけばカメラの前に立たなくなりもう二年が経《た》っていた。

現在、紳治郎の仕事は、クレーム電話の対応とアナウンススクールの講師のみだ。

入口に目をやると、アナウンス部長の稲垣正貴《いながきまさたか》が戻ってきた。稲垣は席に着くでもなく、誰かを探していた。

目があった。手招きしている。人差し指で自分の鼻を指すと頷《うなず》いた。

どうせ、またシフトの文句だろう。アナウンサーの労働時間が少しでも超過すると、その責任は部長である稲垣に降りかかってくる。

かつて〝流星の滑舌〟と呼ばれたアナウンサーは、最近では、シフトに関してうるさい中間管理職に成り下がってしまった。

「シフトのことで総務になんか言われたんですか。人気のアナウンサーにオファーが集中するのは仕方がないですよ」

「そんなことはお前がうまくやりなさいよ」

稲垣は会議室に誰もいないことを確かめると、紳治郎を押し込んでドアを閉めた。

「お前さ、何、勝手に、あの子の背中押してるんだよ」

「は?」

「とぼけるんじゃないよ、永野のことだよ」

「永野萌香ですか」

と語尾を上げると、

「白々しいね、安道さんに相談して決めたと言ったんだぞ」

「何も相談されてませんけど……」

なんのことか見当もつかない、と何度も言ったが、稲垣は取り合わない。

紳治郎が鼻白んだ顔をしたので、

「ほんとか?」

「本当です」ときっぱり言った。

それでも稲垣は疑っているようで、

「じゃあ、今から言うことは他言無用だぞ」と念を押し、声を潜め、

「永野が辞めたいと言ってきた」と言った。

「なんでまた?」

「こっちが知りたいよ。で、どこの事務所に行くって言ってるんだ?」

「だから、なにも知りませんって」

「困るんだよ、今、彼女に辞められちゃさ」

とテーブルを小刻みに叩き、「なんで一言言ってくれないかな」と困惑の顔を見せた。

ここまで躍起になるのは、永野がスポンサーの令嬢だからだ。父親・永野卓蔵《たくぞう》は大手物流会社、カモメ運輸の社長であり、いくつもの企業の取締役をつとめ、政界にも太いパイプを持つ人物だ。

「これはCMの出稿量にも影響がでるよ、もう、上になんて報告すればいいんだよ。そうだ、疾川《はやかわ》さんが辞めた時のアナウンス部長……、あの時も降格になったしな」

「永野は芸能界に顔も広いし、いつかは辞めると思ってましたけど」

「よく、そんな客観的にものが言えるね。なんとか考え直すよう、説得してくれ」

「わたしがですか?」

「ろくに仕事もしていないのに、アナウンス部に置いてやってるんだぞ、それくらいやんなさいよ」

「それとこれとは……」

「どこの事務所に引き抜かれたかも聞き出してくれ」と滑舌良く言った。

稲垣は二十年を超えるベテランアナウンサーで、今は管理職に回り、アナウンサーとしての唯一の仕事といえば朝の旅番組のナレーションを読むことだ。味のある声で、失われつつある田舎の風景を語るこの番組は中高年の視聴者に人気だった。紳治郎は稲垣の鼻濁音《びだくおん》が好きだった。

買収テレビ局

雨上がりの四谷・荒木町は冷気が街に溶け込み、一日の汚れを洗い流した後のようだった。永野と夜十時、ある小料理屋で落ち合うことにした。

店の主人は元ディレクターで、紳治郎が新人の頃、同じ番組を担当していたことがある。先代の父親が隠居したのを機に、あっさりテレビを離れ、店を継ぐと決めた。

主人は紳治郎を見るなり、「最近、テレビでお見かけしないんで寂しいです」と言ったが、それに、曖昧《あいまい》な微笑《ほほえ》みを返した。

奥の個室に通されると、既に永野がいた。

「ナレ録《ど》り、早く済んだので、先に着いちゃいました」

ナレ録りとはナレーターがVTRにナレーションをつける作業のことをいう。永野は声優並に声色を使い分けることができるのでナレーションの仕事も数本持っていた。

永野は湯のみを脇に寄せ、メニューで顔を隠した。

あくまでも平静を装おうとする永野に、「なんで、俺の名前を出したんだよ」。

永野はメニューから顔を出し、

「稲垣さんが困った顔をしたんで、つい先輩に相談したって言っちゃいました。巻き込んでしまって、すみません」

永野は顔の前で手刀を切りすまなそうな顔をした。

「誘われたのは大手か？」

永野の表情を推しはかりながら、「永野はセント・フォースってタイプじゃないし、吉本でもないし、ナベプロ？　いやホリプロ？　んー、予想もつかん。どこだ？」と問いただす。

「わたし、フリーになるわけじゃないですよ、疾川さんじゃあるまいし」

「もしかして、結婚？」

「それも違います」と即座に否定。

「だったら何？」

「とりあえずなんか頼みましょうよ。お腹すいちゃった」と鈴を鳴らし、アルバイトの女の子に注文を告げた。

「入社十年目だろ」

「はい」

紳治郎はビールで口を湿らせ、

「辞めるなんてもったいないぞ、永野の実力ならいろんな番組からオファーだってくる。そうしたら独擅場《どくせんじょう》だぞ」と名残《なごり》惜しい顔をしてみせた。

「これから面白くなる時期じゃないか」と月並みな言葉を並べる。

店員は料理をテーブルに並べると、「説明させていただいてよろしかったですか？」と紳治郎を見た。説明はまだなのに、よろしかったと過去形はいかがなものかと、のどまで出かかったが、永野が「どうぞ」と笑顔で答えたので、言う間がなくなった。

カワハギの刺身は肝《きも》をお醤油に溶いてご一緒に、とうもろこしの天ぷらはお塩でお召し上がりください、焼き枝豆はお熱いので気をつけてください、という説明に永野は愛想よく頷いた。

永野は首を傾けビールを飲み干すと、麦焼酎の紅茶割りを頼んだ。

「紅茶で割るのか?」

「最近、ミュージシャンの間でこの飲み方、流行《はや》ってるんですよ。次の日に残らないんですって」

「あのさ、今日は飲み会じゃないんだ」

永野が注ごうとしたビール瓶を奪い手酌で注いだ。

「退社の理由を教えてくれ」

永野は、じゃあ、という顔を見せ、

「アナウンサーやってても、面白くないんです」と言った。

「急にどうした?」

「テレビにアナウンサーって必要なんですかね」と嘆息した。

「いきなりなんの話?」

「もうテレビが嫌になったんです」

紳治郎はコップを持ったまま固まった。

永野は喋ることに貪欲《どんよく》だった。アナウンス力が無いことを個性だと信じて疑わないミスコン出身のアナウンサーや、流暢《りゅうちょう》に原稿は読めるがいまいち耳に入ってこないキャスター志望のアナウンサーとは別格だった。

アナウンサーの実力は人並みだが、永野には不思議な魅力がある。如才のなさは局アナの中で一番だと言ってもいい。どんな人物でもすぐに懐に入っていく才能があった。女剣士が大男の一瞬の隙《すき》をつき面を打ち込むような軽やかさがあった。相手の呼吸を読むのがうまいのだ。そしてなによりもテレビが好きだった。

「それが辞める理由なのか？」

力強く永野は頷いた。

「楽しそうにやってるじゃないか。今日のリポートだってよかったぞ」

永野はテーブルに出来たグラスの輪をおしぼりで拭きながら、

「アナウンサーやってて楽しくないんですよね。映画の宣伝かなにか知らないけど、なんで無口なナルシスト俳優と街ブラしなきゃいけないんですか。口を開いたかと思えば、『前髪決まらなかったから、テンション低いんです』とか『オムライス、マジやばい』とか、『休みはジムで身体を鍛えてます』とか、そんな話ばっか。しょーもない」

「でもさ、砂糖が入ってると思い食べたヨーグルトが無糖だったような顔をしてますね、あのコメントよかったぞ」

道ゆくおばさんたちがことごとく若手俳優のことを知らなかった時に、永野が俳優に向かって言った言葉だ。

「クイズ番組にも欠かせない存在じゃないか。この間も、昔の文豪の作品名、正解したの永野だけだったし」

「そんなの知識でもなんでもないですよ。作品の中身、全く知らないし……。とにかく楽しくないんです」

「アナウンサーは天職だって言っていたじゃないか」

永野は鼻で笑うと、「ワインのボトル、行っちゃっていいですか」とメニューに目を落とし、「インタビューは相手の心に耳を澄ませて、心の声を引き出すのが仕事だって、先輩、言ってましたよね。そんなやり甲斐《がい》のある仕事なんてないんです」。

かつて萌香は、紳治郎の出演番組を観て、感想を送ってきたり、紳治郎の真似《まね》をして、部屋に六台のテレビを買い、同時間帯で、どの番組が面白いかをチェックしたりした。

「お前の喋りには色がないのか、匂いはないのか、肌で感じるものはないのかって、散々小言を言われましたよね」

「それは何かを伝えるアナウンサーになってほしいから」と言いかけたところで、永野は頰杖《ほおづえ》をつき、

「今じゃ、そんな喋りを披露できる番組なんてないんですよね」と嘆息した。

紳治郎は返事の代わりにビールを飲み干した。

確かに、日堂テレビでアナウンサーの役割といえば、タレントのフォロー役ばかりだ。収録で、タレントのアドリブに対応したり、軌道修正したりが役割だ。それらアナウンサーの努力は編集でばっさりカットされ、オンエアはタレントばかりが喋っている。

赤ワインが拍車をかけたのか、永野は止まらなかった。

「ディレクターもディレクターですよ。質問しても、言葉に詰まるし、ちゃんと演出しろ、って言いたいですよ。この前だって、台本通りやらないタレントがいて、わたしがロケもう一軒増やされたんですよ。『編集でなんとかするから』って。局アナはタレントの穴埋めじゃないっていうの」

「わかった、もうそれくらいにしてさ」

「あー、グルメリポートとか、もう嫌だ。三分で治る肩こりの実験台になんてなりたくない。営業案件のカリスマでもない美容師をよいしょするの、もう無理。タレントもタレントですよ。ワイプの槽に閉じ込められて、VTRを観てリアクションするだけの仕事で、よくやってるなって」

「やめよ、テレビの悪口言うの、な」とグラスを取り上げようとしたが、仰《の》け反《ぞ》ってかわされた。

「先輩のせいですからね、わたしをこんな体にしておいて」

「誤解されるようなこと言うんじゃないよ」

個室の外に聞こえるように少し声を張って言った。

「先輩がアナウンサー辞めちゃうから、私一人で闘ってるんですからね」

「辞めたわけじゃないよ」

「クレーム電話の対応とシフト管理くらいしか、してないじゃないですか」グラスの脚の部分を握りながら言った。

「そりゃあ、誰も先輩を使いたがらないのはわかりますよ。ロケ中にディレクターを叱っちゃうんだもんな、そりゃ使いづらいわ。才能がそうさせちゃうのかな」

紳治郎が無視していると、顔を覗き込み、

「あと、後輩にすぐ雑学クイズ出すでしょ、〝大さじって何グラム？〟とか、〝小春日和《びより》っていつのこと？〟とか、あれ、みんな迷惑がってますよ」

「こっちの話はどうでもいいんだよ。今日の趣旨は、永野が退社を考え直すよう説得しにきたんだから」

「気持ちは変わりませんけど」

永野は躊躇《ちゅうちょ》せずに答えた。消費税導入とともに生まれ、ゆとり世代というくくりで、就職難を生き抜いてきた分、自分というものを紳治郎以上に持っている。

永野はため息をひとつつくと、顔を近づけ言った。

「うちの会社、買収されるんですよ」

紳治郎が食べかけた枝豆が一粒飛び出した。緑の球体はテーブルの縁《へり》でピタリと止まった。永野はそれを口に放り込んで、「言っちゃった……」と口を押さえた。

いきなりのことに紳治郎は、あっけにとられた。

「え」「うそ」「マジ」を繰り返し、混濁した頭を整理し、何か言おうとしたが言葉が見つからなかった。

話の出元は、永野の父だった。

「わざと私に見つかるようにしたとしか思えないんですよね」

実家で、買収関連の書類を目にしたという。永野はスマホで撮った写真を見せた。

買収先はロボット技術を駆使し、ハードウェアおよび制御ソフトウェアの開発をする『アンドリュー』というベンチャー企業。社外取締役に永野の父・永野卓蔵の名前があった。

「そんな会社に買収されるって、ロボットがテレビを作るってことか」

会社は何を考えているんだ。確かに視聴率は五つある民放キー局の中で四位に甘んじ、年々、スポンサーの獲得が困難になり営業収益は落ちている。

ということは、経営難による身売りなのか……。

「きっとテレビが変わるチャンスですよ、これ」

「ロボット会社に乗っ取られるんだぞ、どう考えてもテレビ界最大の危機だろ」

「今時、テレビ局を買収するなんておかしいと思いません？　ホリエモンの頃じゃあるまいし。この買収、絶対なんかありますよ」と探偵のように言った。

永野によると、父親と社長の新海拓馬《しんかいたくま》がこのところ頻繁に会っているという。新海は一昨年、日営テレビ社長に五十歳の若さで就任した生え抜きの男だ。制作局出身から社長が出たのは初めてのことだった。

ディレクター時代、紳治郎は何度も番組に起用された。新海の番組には欠かせない存在だった。新海が制作局を離れてから疎遠になっていた。

「あれだけテレビのこと愛している新海社長ですよ。アッと言わせるようなことを考えているに違いない。私にはわかる」

「だったら、辞めなくていいんじゃないか」

「私はいいんです。先輩ほど、喋ること好きじゃないし」

ほうじ茶に切り替えた永野は湯飲みを口に当てながら首を振った。

紳治郎が黙ったままでいると、「先輩はアナウンサーを辞めたいと思ったことないんですか？」と聞いてきた。

いくら干されても辞めないのは、疾川順太郎《じゅんたろう》と喋りで勝負したかったからだ。学生時代、ラジオから流れてくる疾川の喋りを聴いた瞬間、心を奪われアナウンサーを目指した。

日堂テレビのある渋谷三丁目から明治通りを少し恵比寿《えびす》方面に行くと、コンクリート打ちっぱなしの五階建ての瀟洒《しょうしゃ》なファッションビルがある。その三階のフロアにアナウンススクールがある。

エレーベーターの扉が開き、足を踏み入れると、そこは女子大生たちの園だ。若者のテレビ離れが叫ばれている時代なのに、いまだアナウンサーになりたいという女子大生は後を絶たない。ここ数年、アナウンサーを輩出していることもあり、日堂テレビのスクールは大盛況だった。

午後からの授業に備え紳治郎は、廊下の端にあるベンチで、紙コップのコーヒーを飲みながら資料を眺めていた。

追いやられるように端に座るのは、香水の匂いをぷんぷんさせ、自己アピールばかりしてくるアナウンサー予備軍たちに話しかけられたくないからだ。

紳治郎は紙コップを口に当てながら、この数日に起きた一連の出来事を整理してみた。

ロボットがテレビを作る時代が来るのか、と落胆したものの、永野の言うように
この買収は絶対なにか意図があるはずだ。
社長として新海は今回の買収で日堂テレビを大きく変える気だ。これまでいくつ
もヒット番組を手掛けて来た新海が易々《やすやす》と買収に応じるはずがない。
そうすれば新海から直々にアナウンサーのオファーが来るかもしれない。
ロボットと一緒に番組なんていうのも面白い。
紙コップをゴミ箱に捨てたところでスマホが震えた。稲垣からだったが無視する
ことにした。
「あのー」
先月入学した某有名女子大の桐島《きりしま》に声をかけられた。
桐島はしなを作りながら、「ミスコンに出ないかって誘われてしまって……、学
園祭がひとだんらくするまで、スクールお休みさせてもらっていいですか?」。
「今なんて言ったのかな?」
「やっぱりまずいですか、でも、ミスコンを全力で頑張るのも、アナウンサーにな
るにはプラスだと思うんですよね」
「そうじゃなくって、ひとだんらくって言ったよね」
桐島は上目遣いで、「はい」と言った。

「桐島さん、そんな日本語はありませんよ。正しくは『いちだんらく』、もう一度、正しい日本語で言ってください」

桐島は思いっきり面倒くさそうな顔で、「いちだんらく」と訂正し、踵《きびす》を返し教室に入ってしまった。

ポケットでスマホが鳴っている。

教室に入り噎《む》せ返りそうな化粧の匂いを嗅《か》いだ時に、思った。アナウンサーに復帰したら、真っ先に講師の仕事をやめようと。

紳治郎は、「声はどうして出ると思いますか？」という質問をした。

皆、喉《のど》のあたりを触り、なんでだろう？　という顔をしている。

殆どの学生が、声がどうして出るのか、ということも知らずアナウンサーを目指している。

「息を吸うと肺が膨らみ、吐くことで息が送り出され、喉の奥にある二本の帯のような器官、声帯を通過します。声帯は息をしている時は開いていて、音を出そうとすると閉じて振動します。帯が震え合うことで音が出る、これが声です。口と舌の形を変えることでそれは言葉になります。だからアナウンサーは楽器なんです」

言葉を操る前に、楽器として自分がどう鳴っているのか、自由自在に声を出せてこそプロなのだ。

女子大生たちは、メモを取り、頷く。

「楽器に音色があるように声も音色があります。話す時に鼻孔を通過させると、頭子音が鼻腔を伴う有声音である鼻濁音になり、この鼻濁音を使った言葉は美しい音色を出します」

紳治郎は、「んが」「んぎ」「んぐ」「んげ」「んご」と鼻に抜ける発音を意識し、「外国」「銀行」「限界」「ご飯」と鼻濁音をやってみせた。

誰かが録画したいと言い出したので、何台ものスマホを向けられ、とっておきの鼻濁音を披露すると、「すごい」と拍手が起きた。

「君たちは演奏者です」

紳治郎は一拍おいて続けた。

「演奏者はロングトーンを繰り返すことで安定した音を奏でられるようになります。重要なのが腹式呼吸。横隔膜を上下に運動させながら声を出す方法。訓練すれば最後まで息が使えるようになり、声も安定し、大声も出せる。地声高音域が広がり、聞くに堪えうる音域が広がる。そして抑揚がつけられるようになるんだ」

彼女たちがメモをし終えたのを見計らって、「じゃあ、立って発声をやってみましょう」と手を叩いた。

「おへそから指三本分下に両手を添えて、息をゆっくり吸って、ゆっくりと吐きながら声を出す。これを繰り返す」

彼女たちは一斉に声を出した。まだ何物でもない声がやがて何かを伝えるプロの声へと育っていく。

この中のほとんどがカメラの前に立つことなく、他の就職先へとシフトチェンジすることはわかっていたが、目の前の彼女たちは自分がアナウンサーになることを信じて疑っていない。

「丁寧に空気と同化させて」

部屋中に声が響き渡った。腹の底から声を出すということを実践している。

「もっとゆっくりに。えーと、吉岡さん、下っ腹をもっと膨らませて。桐島さん、君が膨らませているのは胸だよ」

胸という言葉に笑いが起きた。

「それでは、アクセント辞典を出してください」と表紙がねずみ色に煤《すす》けた、年季が入った辞典を掲げた。

「アナウンサーになっても『NHK日本語発音アクセント新辞典』を肌身離さず持ち歩き、何かにつけ穴があくほど引くことを心がけてください。辞書を引いた回数が自信になるからね」

彼女たちは大きく頷いた。聖書を持つことでシスターの入り口に立てた気がするように、彼女たちは一冊五千円もするアクセント辞典に夢を託した。

アクセントの訓練法はただ一つ、とにかく引きまくり、声に出して読むことしかない。

紳治郎は誤用しやすいアクセントを挙げた。

スニーカーは、スニ／ーカー。スマホの画面はガ／メン。

若い人たちが踊るクラブはク／ラブ。しかし従来のクラブと発音すると今は伝わらない。言葉は常に変化しているので、アナウンサーは言葉の番人としてアクセントにこだわる癖をつけなさいと付け加えた。

紳治郎は『外郎売《ういろううり》』の本文が書かれたプリントを配った。

『外郎売』は歌舞伎十八番のひとつで、早口言葉が多く含まれているので発声、滑舌のトレーニングになる。

「演奏するのに必要なのは楽譜だよね。アナウンサーにとってそれは原稿にあたります。楽譜に書かれた音を正確に出せないといい演奏とは言えないように、アナウンサーも発音、アクセント、滑舌が悪いと全てが台無しになります」

紳治郎は彼女たちを見渡し、「じゃあ、読んでみようか」と先ほどの、ミスコンに出場する桐島を指した。

桐島は小声で下読みし、一、二度咳払《せきばら》いをした後、「拙者《せっしゃ》親方と申すは、お立ち会いの中《うち》に、ご存じのお方も御座りましょうが……」と読み上げた。

「ストップ」

「…………」

「拙者と親方が同一人物だと思って読んでないかな？」

「違うんですか？」

「拙者と親方は別です。拙者が今から、親方にあたる人のことを紹介します、という始まりだよ」

「そうだったんですか」

「この拙者が、道行く人に薬を売りつけるというのが狙い。まず親方、お店の素晴らしさを紹介して薬の信頼性を高めて人を惹《ひ》きつけたところで、薬の効能を語りだす。『さて、この薬、第一の奇妙には、舌のまわることが、銭ゴマがはだしで逃げる』ここに出てくる『奇妙』は変なことではなく『素晴らしいこと』という意味です。拙者が滑舌よく話すことで、薬の効き目があると思える。そんな狙いがこれには込められています。道行く人を惹きつけるため巧みな構成になっている、とは知らなかったでしょ？『一つへぎへぎに、へぎほしはじかみ、盆まめ、盆米、盆牛《ご》蒡《ぼう》、摘蓼《つみたで》、摘豆、つみ山椒《ざんしょ》、書写山《しょしゃざん》の社僧正《しゃそうじょう》、小米《こごめ》のなまがみ、小米のなまがみ、こん小米のこ生がみ』」と紳治郎はそらでまくし立てた。

「みなさんの脳裏に、道行く人が足を止めて口上に聞き入る姿が浮かんだでしょ。ミスコンも、道行く人のつま先があなたに向くよう祈ってます」としたり顔で言う。桐島は悔しそうに口びるを嚙《か》み締めた。

女子大生を前に、本気を見せてしまう自分は大人気《おとなげ》ない。

「アナウンサーはなぜ正しい日本語で伝えなければいけないのか、わかるかな？」

一斉に手が挙がった。

「全国の人が見てるので、正しい日本語で伝えなければならない、のではないでしょうか」

「お年寄りに今時の言葉だと通じないからだと思います」

などと、思い思いの答えを述べた。

「今時は簡略化された言葉で十分通用します。主語がなくとも文脈は繫《つな》がり、相手との関係性でコミュニケーションは取れます。『あけましておめでとう』が、『あけおめ』でも通じるし、『メモる』『パニクる』、と名詞が動詞化しても伝わります。言葉は伝われば、多少間違っていても生活に支障はないが、長い歳月をかけ言葉が流転し続けると、つまり、なんとなく通じる誤用を、なんとなくほうっておくと意味すら変わってしまいます。だから、アナウンサーが番人となり、正しい日本語を守ってゆかなければならない。それがアナウンサーが正しい日本語で伝える理由です」

教室は静まり返っていた。感心しているのではなく、退屈そうにスマホを見ている者、ドン引いている者、つまりこういう話に興味がないのだ。正しい日本語を伝えながら、自分なりの喋りを模索したのは、永野だった。紳治郎がアナウンサーとして活躍していた頃、永野は金魚の糞《ふん》のように付きまとった。

「コミチュートゴスタールストベンノイベスパースノスチ」

「なんですか、それ？」

「旧ソ連の秘密警察ＫＧＢの正式名称だよ。アナウンサーならこういう長いカタカナ言葉に興味を持たないとな」

そんな話をした翌日に、永野はタイの首都バンコクの正式名称を覚えてきた。

「クルンテープ・マハーナコーン・アモーンラッタナコーシン・マヒンタラーユッタヤー・マハーディロック・ポップ・ノッパラット・ラーチャタニーブリーロム・ウドムラーチャニウェートマハーサターン・アモーンピマーン・アワターンサティット・サッカタッティヤウィサヌカムプラシット」と噛まずに言った。

打てば響く、ああ言えば、さらにこう言う、同じ喋り手として永野の向上心、好奇心はアナウンス室の誰よりも凄《すさ》まじいものだから、紳治郎も興が乗り、自慢げに自分がリポーターをつとめる住宅番組のＶＴＲを見せた。

「十坪にも満たない狭小住宅を紹介したものだ」とリモコン片手に説明を始めた。

「まず玄関先からロケは始まる。なかなか入らずに、窓から中を覗き込んで喋り始める。ここで視聴者の想像力を掻《か》き立てているんだ」

それでは中に入ってみましょう、と紳治郎は玄関のドアを開けた。

「ここ」とリモコンで一時停止し、「ドアを開けて入ると思わせ、カメラを先に入れる。カメラの視点が自分の視点に変わるんだ」。

編集で映像をインサートするより臨場感が湧いた。

「まだ部屋の全体像は映さない。家具を褒《ほ》めながら、なんとなく間取りをわからせる。全貌を見たくなるまで言葉で引っ張るんだ」

部屋の全貌が見たいと思った辺りで、紳治郎は、何してるの、カメラさん、部屋を映して、と言った。

紳治郎は眼ざとくコーヒーメーカーを見つけ、コーヒーを淹《い》れてもらえませんか、と主人に言った。

主人はキッチンに歩き出す。カメラはそれについてゆく。

「狭いキッチンには、主人とカメラしか入れない。だから、わざと言ったんだ」

紳治郎はソファーに座り、この家の主人のような顔でコーヒーを飲み、いやー、こんなにコーヒーが美味《うま》い家は初めてだ、と言った。

その瞬間、夫婦の顔が華やいだ。

「視聴者にこの顔を見せたくてやってるんだ、いい顔だろ！　こんなに緻密《ちみつ》な計算があるとは思わなかっただろ。すべてアドリブのように見えるところが俺のすごいところかな」と自慢した。


稲垣に呼び出されたのは三日後のことだった。

「スクールにいる桐島って子、知ってるか？」

紳治郎は少し思案し、例のミスコンの子だとわかった。

「まあ、アナウンサーは無理でしょうね。喋りの勘が良くないっていうか」と独自の評価をぶっていると、

「お前さ、クレームに対処する係だったよな」と冷ややかな喋り出しをし、「そんなお前にクレームが届いたんだよ」と嘆息交じりで言った。

報告書に目を通すと、アナウンススクールに通う桐島の母親からだった。

授業で紳治郎に恥をかかされ、ミスコンに出場する自信を失ったというものだった。

「スクールもやめたいと言ってきたぞ」

「わたしは、ただ……、『外郎売』の……、わかりました。話してみます」

「そんなことしなくていいんだよ。桐島って子、SNSのフォロワーが三万人いるっていうじゃないか。そんな子に何か呟《つぶや》かれたらことだぞ」

問題なのは、これが初めてではなかったことだ。アナウンサーになることが有名になる手段と思っている学生、夢見ごこちでアナウンサーを目指す学生を前にすると、ついつい本気の喋りを見せつけ、自分はいかに才能がないかをわからせてしまう行動に出てしまう。そんな目にあい、やめていった学生も少なくなかった。

とにかくこの件は稲垣に一任することになり、紳治郎は講師から外された。これで仕事はクレーム処理係だけになった。

人事異動アナウンサー

――一ヵ月後。

日堂テレビ・グランドスタジオ前は、朝から見かけないスーツ姿の者たちが足早に往来していた。もうじき、社長の新海が記者会見を開き、買収の詳細を発表する。

スタジオは押しかけた報道陣で埋まっていた。後方には、三脚を立てたカメラマンたちが居ならび、用意された椅子では足りず、左右の壁にへばりつくように大勢の記者たちは並んでいた。一九五三年に民間放送が開始して以来、初めての買収劇はメディア界最大の関心事だった。

連日、新聞やネットは、テレビの終焉《しゅうえん》という論調で煽《あお》った。

寝耳に水の買収劇に、上を下への大騒ぎかと思いきや、局員、およびスタッフはいつもと同じように業務をこなした。報道番組は、成り行きを見守るしかなく、事実を淡々と伝えた。バラエティ番組は買収に触れることはなく放送をした。

スタジオからあぶれた局員たちは、ロビーに設置されたモニター前に集まっていた。

紳治郎も群衆の中で会見の時を待っていた。

ここで新時代の構想をぶち上げ、テレビ界に風穴を開けてくれるに違いないと期待していた。

壇上に新海が現れると一斉にフラッシュが光った。

新海は資料を読み上げながら、これまでの経緯、保有株の比率、新たな役員を発表した。

記者からの質問は、テレビが斜陽産業になったことを認めさせようとするものばかりだった。

ネットの広告収入がテレビを上回ったこと、海外の定額制の動画配信サービスの進出について、などなど。

新海はいじわるな質問にリズムを崩さず答えた。

最後に、「ここから新しいテレビ時代が始まります」と語った。

その言葉は、大半の記者たちの嘲笑《ちょうしょう》を誘った。

それだけ？　降壇する姿を追いながら、期待が萎《しぼ》んでいった。

その後買収にともない大幅なリストラも行われるという噂《うわさ》が広まった。

アナウンス室の空気も重かった。

そもそも買収前から、アナウンス室は活気を失っていた。

どの番組もアナウンサーはメインではなくタレントのアシスタント的存在だった。

朝、昼の帯番組も司会を務めるのはタレントたちであり、報道ニュースもキャスターはフリーアナウンサーが起用された。

数年前はそうではなかった。紳治郎を始め個性的なアナウンサーがいろいろな番組で起用され、局の顔として画面に登場していた。

以前の活気はどこへ行ったのか。かつてはアナウンス室への入室の際、「ただいま、収録から戻りました」と声が響き渡った。後輩の電話の対応一つとっても、先輩から檄《げき》が飛んだ。

「もっとはっきり話せ」「鼻濁音がなってない」

アナウンサーはカメラの前以外でもアナウンサーたれ、という緊張感があった。今は挨拶したりしなかったり、おのおのが個別に息を潜め生きている。

三年前に恵比寿に借りた2DKのマンションのリビングには、六台のテレビモニターがはめ込まれている。

煌々《こうこう》と六台のテレビがついていたのは二年前までのことで、最近は、テレビをつける日すらも少なくなっている。

リストラが敢行されれば、真っ先にクビになるのはこの俺だ。新海はこの買収でテレビを変える気などなかったのだ。

紳治郎はソファーに身を沈め、天井を仰ぎながらそう思った。

リモコンで録画した番組の一覧を呼び出し、そこから疾川順太郎というフォルダを選び、一つの番組を再生させた。

数年前に放送された、VFXを駆使した歴史番組だった。ジュリアス・シーザーが暗殺される現場を映像で再現し、その中に疾川がタイムスリップし実況するというものだった。

紀元前のトッレ・アルジェンティーナ広場大回廊が再現され、元老院会議が始まる直前、腹心ブルータスら十四人によって暗殺されるシーンを疾川は見事な描写で謳《うた》い上げた。

「十四人にメッタ刺しにされたシーザーは、二十三ヵ所を刺されたが、二刀目だけが致命傷となったと言います。誰が殺したのか、誰が殺す気はなかったのか。一つの権力が散った後、シーザーの提唱し続けた帝政ローマが始まりました」と締めた。

この番組の演出はディレクター時代の新海だった。

番組は二十パーセントを越える視聴率を取り、その年の、放送文化基金賞最優秀賞を受賞した。疾川の才能が新海の演出で見事に引き出されていたという評価だった。紳治郎は疾川の言葉を丸暗記し何度も喋ってみた。その度に、凄《すご》さを実感した。以来、疾川に加え、新海は紳治郎の憧れの存在になった。しかしあの記者会見で情熱は何も感じられなかった。あの頃の新海はどこへ行ってしまったのか。

三番が赤く光った。三回点滅した後、受話器を取ろうとしたが、既に誰かが取っている。辺りを見回すと目の前で稲垣が対応していた。

「なるほど、タコウインナーは、ウインナーをタコに見立てたものなので、正確にはウィンナータコだということですね。貴重なご意見ありがとうございました」

受話器を置いた稲垣と目があった。視線を会議室の方に向けた。

紳治郎は上着に袖を通しながら、会議室に向かった。

稲垣はゆっくりとした動作でブラインドを下ろした。

ポケットから缶コーヒーを取り出し紳治郎に渡した。

入社したての新人にアナウンスのいろはを叩き込んでくれたのは、目の前にいる稲垣だった。稲垣は、社会で起きた出来事を冷静に、正確に、正しい日本語で伝える正統派アナウンサーだった。

アナウンサーは上と下の感情を切って平常な気持ちで話せと教えられた。

プチッという蓋《ふた》を開ける音と咳払いする音が会議室に溶け込んだ後、稲垣は話を切り出した。

「実は、異動の話なんだ」

身体から何かが奪われていく。これを血の気が引くと言うのだろう。

「アナウンサーやって何年だ？」

「二二年目になります」

アナウンサーではなくなる日が来た。

「どこに異動ですか？」

「親会社のアンドリューと合同で『AI開発局』という新しい部署ができる。そこに行ってくれ」

「わかりました」

稲垣は少し驚いた顔を見せた。

「辞めると言うんじゃないかと思ったよ」

すぐに「わかりました」と答えたのは、辞める気力さえ湧いてこなかったからだ。

新人時代、稲垣からアナウンサーの基礎を教え込まれた紳治郎はその後、仕事に恵まれた。正統派ではないので、稲垣に嫌われているかと思っていたが、その逆で、自分にはない個性を褒めてくれた。

「紳治郎の喋りを発揮する場面は今のテレビにはない。クレーム処理もスクールの講師も役不足だ。少し新しい場所でのんびりしてこい」

「ろくにアナウンサーの仕事もしていないのに、これまで置いていただき、ありがとうございます」

いつか疾川と喋りで勝負したいとアナウンサーを続けていた。その時まで、アナウンサーでい続けたいという願望も潰《つい》えてしまった。

ＡＩ開発局は十階にあった。

出社して目を疑った。見慣れた雰囲気とは違うのだ。

山脈のようにデスクに山積みされた資料、その山間を忙しそうに人が行き交う制作局の風景はここにはなかった。

驚いたのは、このフロアにテレビがないことだ。テレビ局にテレビがないという前代未聞の現実をどう受け止めればいいんだ。

一人の青年が紳治郎に向ってやってきた。

「どうも、局長の瓜坂《うりさか》です」と手を差し出した。新しいフロアでは既にアンドリューから派遣された者たちが働いていた。

ＡＩ開発局の局長は、親会社のアンドリューから来た、瓜坂真理男《まりお》という年下の青年だった。

「よろしくお願いします」と瓜坂は目元まで届く前髪をかきあげながら言った。

マッシュルームのような髪型に、光沢のあるゴールドフレームのメガネ、Ｔシャツに仕立ての柔らかなジャケットを羽織っていた。流行りのミュージシャンのような出《い》で立《た》ちだが、アメリカの大学でロボット工学の博士号を取得し、更にイギリスのビジネススクールで経営を学び、ＭＢＡを取得と、経歴もピカピカに輝く男だった。

瓜坂は紳治郎に、「このテーブルの材料、なんだかわかりますか？」と聞いた。よく見ると黒ずんだ木材が寄木のように合体して一枚の長方形の板になっている。

「線路の枕木を集めて特注で作ったものなんです。ここにアイデアが到着して、ここから企画が発車する場所にしたいんです」

瓜坂は、ここをプラットホームにしたいと言った。

紳治郎はテーブルに触り、感触を味わった。

フロアを見渡すと、壁、床、天井はグリーンを基調とし、個人のデスクはなく、空いているところを自由に使うレイアウトになっていた。中央にあるＵの字のカウンターで、数人が談笑していた。奥にはコーヒーメーカーがあり、ガラス張りの冷蔵庫には飲み物が陳列されていた。

ＡＩ開発局は瓜坂を筆頭に、主力はアンドリューから出向してきたエンジニアやプログラマーたちだった。その中にトミー・マクレガーというアメリカ人がいた。癖毛のブロンドヘアー、青い瞳、大きめなプリント柄のＴシャツを着ていた。トミーは流暢な日本語を話した。十三歳で日本に来て、バラエティ番組を観て日本語を覚えたと言う。

紳治郎はトミーに連れられ、フロアの奥の『マザー』と呼ばれる編集ブースへ行った。

中に入ると、機材は少なく、数台のモニターが壁に埋め込まれてあり、ガラス張りのアナウンスブースがあるだけだった。

トミーは紳治郎の手を握り、

「僕、日本のバラエティ番組、観て育ったんですよ。疾川順太郎のファンなんです」と興奮気味に言った。

「ネットでしか観たことないんですけど、『トーキングジャム』ってヤバイです」と言った。

『トーキングジャム』は疾川がマイク一本で喋り続けるライブのことで、局アナからフリーになったと同時に始まった。

そこで落語、講談、香具師《やし》、実況などあらゆる喋りを披露した。またビックバンから地球誕生までをいっきにまくし立てたり、モーツアルトの曲を言葉で表現したり、どれも唯一無二のエンターテインメントだった。

疾川と喋りで勝負したいという思いを具体的に言うと、いつかこの舞台に立つことだ。

「俺がアナウンサーだったことは知ってるかな？」

トミーは親指を立てて、「オフコース」と言い、

「紳治郎さんは、唯一、疾川順太郎の流れをくんだ、喋り手ですよね。最初は疾川のモノマネなんて揶揄《やゆ》もありましたが、冠番組が始まってからは、完全に独り立ちしたと言えるでしょう」と青い目を輝かせ持論を語った。

トミーが、疾川の話をしてくれとせがむので、いかにすごいかを語った。

「疾川さんは新人の頃、とにかくあらゆる喋りを模倣した。あのアナウンサーはこんなことを言っていた、講談はこんな喋りをする、香具師はこんな表現をした。とにかく真似て、ひたすら繰り返したんだ。そうすると、息遣い、リズム、語彙《ごい》選びのセンスがわかってくるんだ」


——なにを抜かしやがんだ、べらぼうめ、大きな声は、こちとら地声だ。てめえの方が渡さねえからこっちはいらねえっていうんでぃ。今度は渡すったって、素直に受けとらねえからそのつもりでぃやがれ、この丸太棒。

——結構毛だらけ猫灰だらけ。見上げたもんだよ屋根屋のフンドシ。見下げたもんだよ底まで掘らせる井戸やの後家さん。上がっちゃいけない米屋の相場。

「こうやって自分の身体の中にいろんな喋り手の話術をいれるんだ。それが醸成されるまで喋り続けると、やがて自分の喋りになってくる。それをオリジナルと呼ぶというのが疾川さんの持論だ」

紳治郎も疾川の持論通り、あらゆる喋りを真似た。先人の喋り手のおかげで今がある。

余程テレビが好きなのか、トミーはのべつテレビの話をした。これまで観たバラエティ番組の感想を言った。

その詳細は驚くほど鮮明で、感想はどれも的を射ていた。

今でもＹｏｕＴｕｂｅで過去の番組を鑑賞しており、子供の頃、録画したＶＴＲが今も数百本あると言う。

「今の番組、どう思う？」

「長くなりますけどいいですか？」

そこから外国人らしく忖度《そんたく》なしのテレビ批評が始まった。

トミーの言葉が、紳治郎の脳内をぐるぐる駆け巡る。

各局、似たような番組が多すぎる、行きつけの病院じゃないんだから、健康番組は一つあればいい。クイズはパターンが一緒過ぎ、写真を見て作者の名前を答える問題、あれ何知識ですか？　どれもワクワクしないんですよね、冒頭五分でだいたいどんな番組か予想がついてしまう。昔テレビは面白かったなんて懐古的なことを言うつもりは毛頭ないです。昔だって観るに耐えないバラエティなんてたくさんありましたし。でもね、チャレンジしてるって気概があったんだよなー。

紳治郎さんがやった遠距離恋愛のカップルの企画なんて最高でした。東京駅で彼女を見送った彼氏をいきなりヘリに乗せて、新大阪まで追いかける企画ですよ。上空から新幹線を追いかけながら彼氏の思いを実況、あれは感動したなー。また明日から、新幹線代を稼ぐため道路工事のバイトに励みます！　って、彼女のことが大好きなのが伝わって来ました。テレビに向かって、絶対に追いついてくれ！　って、声援送っちゃいました。視聴者が番組と共犯関係になれるのがバラエティの醍《だい》醐《ご》味《み》なんだよなー。

随分前に、同期の若林《わかばやし》というディレクターと作った番組だった。結局、ヘリコプターが着陸した場所から新大阪まで車を飛ばしたが、渋滞で間に合わなかった。それでもあのロケの高揚感はいまも心に焼き付いている。

「ところで君はいくつ？」

「二十五ですけど……それがなにか」

こんなにもテレビを熱く語る若者を久しぶりに見た。トミーはとにかく面白いテレビを観たいのだ。昔の自分を見ているようだった。

「夢のようです。テレビで観ていた人と同じ部署でご一緒できて」

「それはありがたいが、もうアナウンサーじゃないから」と薄く笑った。

「あれ、聞いてないですか？　この部署に必要なのは紳治郎さんしかいないって、瓜坂さん、新海社長に直々にお願いしたんですよ」

「本当か、ということはここで番組を作るのか？」

「はい、ＡＩを駆使した新しいテレビを作ります」

なんだか気分が良くなってきた。

そこへ、瓜坂が入って来た。

「なに楽しそうな話してるんですか？」

瓜坂は笑顔で言った。

みるみる顔が紅潮するのがわかった。

瓜坂は自分を買っている。新しいテレビは、漆黒の海に漂う紳治郎にとって唯一、希望の灯に思えた。

「紳治郎さんは、これまで数々の番組を担当されてきたんですね。経歴を知って驚きました。どれも素晴らしい番組でした」

あまりテレビを観てこなかった瓜坂は、時間をかけて紳治郎の番組を視聴したという。

数年前、紳治郎はレギュラー番組を数本持つ、日堂テレビきっての看板アナウンサーだった。

少しでも疾川に近づこうと、日々喋りを真似たが、それは逃げ水を追いかけるようなもので、目指すほどに凄さを知り、自分の至らなさに苛《さいな》まれた。

しかし、皮肉なもので、真摯《しんし》に喋り向き合った分、担当した番組は視聴率も良く、オファーが殺到した。

紳治郎は、見たままを言葉にするのではなく、独自の視点で喋り、視聴者に新しい気づきを与えた。

また共演者を生き生きとさせ、紳治郎が進行すると見違えた。

次第に、スタッフは紳治郎に頼るようになる。本番でなんとかしれくれるだろうと、台本は甘くなった。

人を楽しませる仕事のはずが、機械のように番組を作っている。そこに不満が湧いてきた。

「どんな番組のディレクターも、物作りにおいては平等だ。アカデミー賞だって目指していいんだぞ。それが視聴者への礼儀だろ」と激励したが、スタッフは萎縮するばかりだった。次第に番組は疲弊していった。

「経験と実績を兼ね備えた紳治郎さんと新しいテレビを作りたいんです。どうかお力を貸してください」

と瓜坂は紳治郎の手を握った。暖かい感触に希望が湧いてきた。

「紳治郎さんは、AIについてご存知ですか？」

「なにぶん勉強不足で詳しいことは……」

「AIはハイテクという言葉で片づけられがちですが、最適化という表現が適切だと思います。これからのテレビはいかに最適化されるかが課題です。ここはそのための部署です」

「できることがあったら、なんでも言ってください」

と紳治郎は頭を下げた。

その様子を嬉しそうに見ていたトミーは、

「紳治郎さんには、ナレーションを読んでもらいたいんです」と言った。

「いいよ。そんなのはお安い御用だ」

「言葉のビッグデータを作りたいんです」とトミーはパソコンを開いた。フォルダに現在放送中の番組のタイトルが並んでいる。

トミーは画面をスクロールして見せた。おびただしい数だ。フォルダを開けると、ナレーション原稿の文書が出た。

「過去、三年分の番組のナレーションがあります」

トミーが言うと瓜坂が続けた。

「この原稿を読んでもらいたいんです」

「なんのために?」

意味がわからなかった。最適化とナレーションを読むことと、なんの関係があるのだろうか。

瓜坂はパソコンを覗き込み、「ナレーション原稿をデータ化するんです。そうすればナレーションをいちいち録音することがなくなり、作業効率が一段と上がります」と言った。

これまでナレーションで使われた表現や言い回しをデータ化し、それをつなぎ合わせることで、一から原稿を書くことも、録音する必要もなくなるのだと言った。

理屈は理解できたが、現実的にそんなことできるわけがない。

「でもさ」紳治郎は少しムキになった口調で、「言い方や、抑揚、声質、それぞれのナレーターが持つ味わいってものがなくなるでしょ、それじゃ」。

こいつらナレーションというものをわかっちゃいない。簡単に言うと、ナレーターの声質や言葉の抑揚によって、映像を引き立てるものがナレーションだ。言い方一つで番組に趣《おもむ》きを与える。つまりナレーターは職人なのだ。

「紳治郎さん、ここの原稿を読んでもらえますか」とトミーがナレーション原稿の一部を指差した。

二人にナレーションがいかに大切なものかを、どうやら俺が身を以《もっ》て伝えなければならないようだ。

紳治郎はパソコンのマイクに向かって、「本日、ご紹介するのはこちらのお店」という一文を読み上げた。

「さすがです」トミーは言いながら再生した。

「これが紳治郎さんの声です」

パソコンから紳治郎の声が流れた。

「これを女性風に変えますね」とキーボードを叩いた。

すると若い女性に変換された声が再生された。

「これが、俺の声？」

「そうです。性格俳優風にもできますよ」とキーボードを叩く。

再生された声は、いかにも味のある俳優の声に聞こえた。

シンセサイザーのように操作一つで声色を変えることもできる。男性、女性、渋い俳優など様々な声色を作れるという。

「これじゃ、ナレーターがいらなくなるじゃないか」

「そうなんです。これさえあれば、ナレーターを誰にしようか、と、迷うこともなくなるし、いちいちナレーターを呼ばなくても、パソコン上でナレーションを作れちゃうんです。これが最適化です」と瓜坂が言った。

最適化するということは、すなわちナレーターの仕事を奪うことになる。自分はそれに加担をしようとしている。

「こんなのは最適化じゃない」紳治郎がそう言うと二人は顔を見合わせた。

瓜坂は、パソコンからＶＴＲを再生した。流れたのはここ数日、オンエアされた番組だった。いくつかのナレーションを聞かせ、

「今の番組って、似たようなことばかりしか言ってませんよね」

次々に見せられた番組は、出演者は違っていても、どれも何かを食べたり、話題のお店を紹介したりするものばかりで、ナレーションはそれを伝えていた。

「毎回、ロケするたびに同じようなナレーションを誰かが書いて、それをナレーターが話している。これって非効率的じゃないですか」

瓜坂がパソコンに、プリプリという言葉を入力すると、いくつもリポーターが料理をプリプリと表現している番組がヒットした。

「今テレビ番組で使われてる語彙はそんなに多くはないんです。これをデータ化すれば、いちいちナレーションを録音する手間が省ける」

こいつらはナレーション、いやテレビを軽視している。映像からは伝わらないことをどれだけナレーションが伝えてきたかを知らない。

一つのVTRを完成させるのにいろんな人たちの尽力がある。

ディレクターが編集したVTRに放送作家が原稿を書き、それをナレーターが読む。映像では表現できないことを文章で表現する、そのわかりやすさ、面白み、プロの書いた文章に唸《うな》ることもあった。そしてナレーターの言い回しの滑らかさで、さらに作品に磨きがかかった。

感動するシーンに心地よいナレーションを読んでいると胸が震えた。いいナレーションは映像にあることをなぞったりはしない。青い空が広がるカットに、決して空が青いとは言わず、夏空に爽やかな風が吹く、と映像にない何かを気づかせるのだ。

瓜坂は細い指先でメガネのフレームを少し上げ、

「ここ数年のゴールデン帯の番組を調べたら、グルメや旅、健康、雑学を扱った番組ばかりが占めているんです」

予算が削減され、コンプライアンスを気にして、決められた時間内で番組を制作しているうち、いつしか手堅く視聴率が見込める番組を、制作陣はタレントを替えながら作っていた。瓜坂は民放のゴールデン帯で放送されている番組を見せ、各社どこも、クイズ、グルメ、旅、健康、流行りの店紹介をテーマにした番組が多いことを指摘した。

紳治郎は二の句を継げずにいた。

かつてテレビは夢の箱と呼ばれ、制作者の感性で番組を作ってきた。他とは違う番組を作りたいという明確な意思があり、そうなるためになにをすべきかを会議で揉《も》み、それを台本にし、ロケをして、編集をし、オンエアを迎えた。それらの過程の一つでも手を抜くといい番組は生まれない。一歩一歩、面白さににじり寄って作ってきたんだ。

紳治郎には持論があった。テレビはチーム戦である。一つ一つの段取りの中に誰かの創意工夫があり、それがいい作品を生みだしている。

「感性で作られた番組なんて、日堂テレビでもどこでも制作してないんです。中高年層の視聴者は斬新な企画を求めていない、それより手っ取り早い情報番組にチャンネルを合わせていることがわかります」

「そりゃそうだけど、そんな番組ばかりだとテレビが終わってしまうだろ」

「我々のミッションは、いかに最適化をはかるかということです」

渋谷川沿いに『クール』という古びた喫茶店がある、紳治郎はそこに永野を呼び出し、不満をぶちまけた。

「いけ好かない男でさ、Tシャツにジャケット姿で、床に座って集合写真を撮るIT企業の社員みたいな感じ？」

「その偏見、よくわかりません」と永野に言われたがそんなことはお構い無しで、

「やってられないよ、テレビをなんだと思ってるんだよ」

「でも、無駄を省きましょうっていうのは、一理あると思うな。今のテレビって知りたい情報を伝えるまで、段取りが多いじゃないですか。だったらネットで調べた方が断然早いし。私なんか、情報の殆どがＹｏｕＴｕｂｅからだし」

永野は魚の捌《さば》き方、着付け、メイク術、知りたいことはＹｏｕＴｕｂｅで事足りると言った。

「マイクロブタの飼い方もＹｏｕＴｕｂｅで調べましたもん」

「今はペットの話をしてるんじゃないの」

マスターはコーヒーを淹れながら、噛み合わない会話を聞き、笑っていた。

「『わかったよ、どの原稿を読めばいいんだ』って言ったら、タブレットの画面出して、『これが原稿です』って、あの部署はコピー機もプリンターもないんだぞ、

ナレーションってもんは、紙の原稿だからいいんだ。赤ペンで、アクセントや文節の変わり目を書き込みながら、どう読もうか自分なりの世界観を作っていくんだ。

それなのに、『これで代用できませんか』って電子ペンを渡されたんだぞ」

「先輩って、俺のこと誰だと思ってるんだ感、ありますもんね」

「そういう話じゃないんだよ、テレビが危機だって話をしてるの」

永野は、淹れたてのコーヒーをすすり、「俺の鼻濁音は完璧だ、とか、アナウンススキルを自慢できなくなりますね」。

「あのさ、いつ俺がそんなこと自慢した？　そりゃ、鼻濁音には自信はあるよ。

『しょうがっこうのこくごのじゅぎょうで、そんごくうをがくしゅうしました』。でも、そんなスキルはもういらなくなる時代が来るんだよ。この先、テレビはロボットに侵略されるぞ。作るのも、出るのもロボットになる、ホント、永野はいい時期に辞めたよ」

「ていうか、大人の事情で、辞めるのはまだ先です、こっちも、風当たりがきつすぎて、最悪ですよ。退社と買収が重なったもんだから、沈む船から脱出したみたいな言い方されて、男のアナウンサーってほんとおばさんみたい」

上層部は、永野の退社を了承したものの、買収時期と退社が重なると、あらぬことを記事にされることが嫌らしく、年末まで公表するのを先延ばしされたという。

「あと半年、何して暮らそう……」と永野。

「この先、どうしよう……」と紳治郎。

二人は宙を眺めながら、同じタイミングで嘆息した。

翌日から本格的に、紳治郎はナレーションをひたすら読み続けた。

――やってきたのは白金にあります、洋食の老舗《しにせ》レストラン、ジューシーな歯ごたえ、プリップリのエビ、カリッと揚がったフライドチキン、新鮮な魚介のマリネ、それではご堪能あれ。お味の方は？　気になるお値段は？

「うまいですね。その調子でどんどん行きましょう」とトミーが感心している。声を発するたびに、ナレーターの仕事を奪っていくことになると思うと、気持ちは沈んでいく。

この日、エントランスでナレーターの重鎮と会った。

かつてこのナレーターは、芸人がアポイントなしで突撃ロケをする番組で人気を博した。声を聞いただけで番組がわかる、声が名刺がわりという、他に代わりがいない喋り手だった。

「ご無沙汰《ぶさた》してます」と頭を下げる。

透き通ったバリトンの声で近況を語った。リズミカルな喋り口調から、最近はしっとりめの声で味のあるナレーションをする番組が多くなったという。

「今度、飲みに行こうよ」と囁《ささや》いてきた。

「ぜひ、お願いします」と言いながら、すべてお見通しではないかと狼狽《うろた》える。今にその声もＡＩが代わりに話すようになるのだ。

紳治郎は来る日も来る日も『マザー』に籠《こも》ってナレーション原稿を読み続けた。それは途方もない作業に思えたが、瓜坂の言うとおり、今、テレビ番組で使用されている語彙は多くないことに気づいた。

感性がいらない番組は語彙の数も少なくなっていた。

語彙が減ったのは、ナレーションを放送作家が書かなくなったこともある。今はディレクターがパソコンで編集しながら自分で書くことがほとんどだ。その方が時間短縮になる。でも、それによってディレクターは一人黙々と作業することになる。

グルメ、旅、健康番組の場合、ロケをしたものの方が事情をよく知っているし、自分で書く方が断然早い。視聴者は、すぐ役に立つ情報を求めているのだから、作り手の感性は二の次でいいのだ。

しかし、制作の効率は上がったが、客観性が失われた。テレビはよってたかってああだこうだ言いながら作る方が面白いものができる。そんな考え方はもう過去の話で、今、ＡＩ開発局は最適化をいかに図るかしか考えていない。

最後の原稿を読み終えたのは三十日目の夜のことだった。

「紳治郎さん、お疲れ様でした。以上でフィニッシュです」とトミーが言った。

紳治郎がブースから出てくると、瓜坂がいた。

「ご苦労様でした」

「こんなことしてテレビはどうなってしまうんだろうな……」皮肉をこめて紳治郎が言うと、「これが新海社長の方針なんです」と静かにこたえた。

飲み残したコーヒーを、どこに捨てようかと紙コップを持ってうろうろしていると、トミーが声をかけてきた。

「できましたよ」とパソコンを掲げた。

録音したナレーションは、データ化され、『完パケくん』というソフトになった。完パケとは、編集を終え、すぐに放送できる状態に仕上がった作品のことを言う。

トミーは、データ化された言葉をつなぎ合わせナレーション原稿を作成し、声質を選んだ。

「女性のナレーションにしますね」

女性の声で、パスタのお店を紹介するナレーションが流れた。

「まあ、ナレーションだけじゃ、完パケとは言えないけどな」と高を括《くく》って言うと、トミーは「簡単な編集はやってくれます」と言った。

「編集もＡＩがするのか？」

紳治郎が半信半疑でいると、トミーが映像編集のアイコンを選択し、エンターキーを叩くと、画面に処理中の表示が出た。

少し経って、ナレーションの文章に合う映像を選び出し、編集を始めた。

「今回、ご紹介するお店は、鎌倉駅から三分」というナレーションに合わせて、鎌倉駅から店へ向かう道のりの映像が流れた。

パスタの作り方を説明するナレーションには、その手順通りの映像が流れた。

「ディレクターはＡＩが編集した映像を見て、いいかどうかを判断すればいいんです」

ディレクターはＡＩが編集した映像が気に入らなければ、再度、編集をやり直させ、よければ完了のアイコンをクリックしVTRは完成すると、トミーは躊躇することなく言った。

ナレーションや編集こそが腕の見せ所で、この良し悪しで面白さが断然変わってくる。それをAIが取って代わろうとしている。

それはテレビ界にとって、産業革命以上の一大事なのに、トミーは平然としている。

最適化はディレクターの仕事まで奪いかねない。

今度、ある情報番組でAIが編集したものを実験的に放送することが決まったと瓜坂が言った。

「これが成功すれば、経費と時間が大幅に削減できます」

と嬉しそうに言った。

ディレクターがデータ化された言葉をつなぎ合わせナレーション原稿を作れば、後はAIが映像を選び、編集をしてくれる。

紳治郎はAIが編集した番組を観て衝撃を受けた。

面白くもなんともないのだ。

紳治郎は居ても立ってもも居られず『マザー』に行った。

さすがに瓜坂もトミーも頭を抱えているだろう。

「ちょっといいかな」

「VTR観ていただけました?」とトミーが言った。

「テレビは、制作者たちの創意工夫が積み重なっていい作品が生まれる。AIが作った作品じゃ、面白くないってことがこれでわかっただろ」

紳治郎は自信を持ってプロの意見を述べた。

「お言葉ですが、このコンテンツは面白くなくていいんです」

瓜坂の衝撃的な一言に耳を疑った。

「今、なんつったの?」

「面白くないことに意味があるんです」

気でも触れたのか、あまりのことに立ちくらみがした。

「面白くなければテレビじゃないだろ……、視聴率だって取れないだろ」

「視聴率は取らなくていいんです。そこから変えていかなきゃ生き残れないんです」

「少しでも面白い番組を観てもらおうとみんな必死で頑張っている、その結果が視聴率だろ」

「今、視聴者は自分の時間の中で、テレビを見ようか、定額制の配信型メディアを見ようか、見逃し配信を見ようか、ビデオを見ようかで迷う時代。敵は他局じゃないんです」

「だからテレビは面白いものを作り続けるんだろ」

「日堂テレビが面白さより優先するべきものはスピードです」

瓜坂はきっぱり言い切った。

「これまでは一軒のお店がオンエアされるまで、リサーチャーが調べたものを、会議で検討し、ロケハン、ロケ、編集、ナレ録り、スタジオ収録、本編編集という段取りでした。オンエアされるまで一週間以上かかったと聞いています。それじゃ遅過ぎるんです」

「いい作品を作るにはそれなりの時間がいるんだ」

「これからは作品ではなく情報を届けるんです。日堂テレビは、視聴者から知りたい情報を募り、翌日にはオンエアされているというスピード感を売りにするんです。ネットが即時にトピックスを取り上げるように、視聴者が欲しい情報を素早く放送に乗せる。そうしなければ生き残れないんです。業績が落ち込めば新たな事業を作りそれを伸ばしてゆく。企業として当然の考え方です」

紳治郎が二の句を告げずにいると、

「誤解しないでください。ＡＩにはナレーション原稿は書けません。またＡＩが編集したものをディレクターのチェックなしでは放送できません。ＡＩが映像を選ぶだけでいいのは人間のスキルあってのことです」と言った。

秋から、視聴者のリクエストを次々とVTRにして放送する大型情報番組が始まり、放送されたVTRは日本語を始め五ヵ国語に翻訳され、アプリでも閲覧できるらしい。

テレビは面白さを捨て、素早く情報を視聴者に届ける巨大な伝送路となるのだ。試験的にAIが編集したVTRが放送されたが、視聴率はさほど変わらなかった。

面白くないというクレームもこなかった。

視聴者はただテレビから映し出される美味《おい》しそうな映像、健康や美容にまつわる情報を得られればいいのだ。

AIが編集してくれるので一気に仕事量は軽減された。

もう素材からこつこつと編集することに時間を使わなくていいのだ。

夕方にはフロアにはほとんど人がいなくなるほどディレクターは暇になった。

農業がトラクターやコンバインの発明で飛躍的に効率化されたように、番組制作の時間もこれまでとは比べものにならないほど短縮された。

制作時間が短くなれば、制作費も減る。予算内で収まれば、収益もあがる。これを最適化というらしい。

完全に時代が変わった。

目の前にいる若い二人は、まるで老兵を見つめるような眼でこちらを見ている。

未来からの風が一瞬にして自分の居場所を吹き飛ばした。

『完パケくん』の登場で、日堂テレビの働き方は、寛政の改革並みに改革を果たした。作業時間は大幅に短縮され、経費も抑えられ、あれだけ泥のように忙しかった現場が、凪《な》いだ海のように穏やかだ。これをきっかけにＡＤの足から異様な匂いがしなくなったというプロデューサーもいた。

面白みのない番組を流しても、視聴率はさほど変わらなかった。何につけてもこの改革は成功したのだ。

かつてのように、時間と金をギリギリまでかけて、一ミリでも面白くしようと粘り、他局をぶっ潰すほどの視聴率を取ることが喜びだったころと大きく変わっている。

かの昔、関ヶ原以降、平和な時代が訪れ、戦《いくさ》の経験がない武士の時代になった。関ヶ原を体験した武士の役割はもうないのだ。

ＡＩがテレビを作ろうとも昼は来る。社員食堂にトレイを手に持った者たちが列を作っている。紳治郎も蛇の尻尾に並んだ。

何を食べようかと選んでいる時の人の顔が好きだ。

さあ、目の前のスタッフジャンパーの男はポテトサラダを手に取ったぞ、そこから、ほうれん草、冷奴、きんぴらと小鉢界のベストメンバーを招集した。

おっと、ここで手が止まった。

サバ味噌にすべきか、アジフライにすべきか、それが問題だと悶絶《もんぜつ》している。ちなみに私はサバ味噌に決めております、と心の中で描写した。

「新しい部署、慣れたか」

振り返ると新海がいた。

緩みかけた口角が戻り、「おかげさまで……」とつれない声でこたえた。

「異動してから、自分の仕事を自分が葬っている毎日ですよ」

紳治郎が小鉢に手を伸ばそうとすると、新海はシラスおろし、納豆、サバ味噌ときたので、急遽《きゅうきょ》、ラーメンに変更した。

「そのうち、ドラマだってなんだってロボットが作る時代が来ますよ」

「それも面白いな」

「感心しないでくださいよ」

テレビを愛した新海はどこへ行ってしまったのか。

作り手から経営者側になり、すっかり細胞が入れ替わってしまったのだ。

「こんなに簡単に番組が作れるようになったら、似たような番組がもっと増えて、そのうち誰も見なくなっちゃいますよ。今、新海さんはそういうことをしてるんですよ」

紳治郎はゾッとした。新海の目が笑っている。

「あんな番組、面白いと思ってるんですか、昔の新海さんならブチギレてますよ。どうしちゃったんですか」

トレイの上でラーメンが揺れている。

「そのうちテレビで働くのはみんなAIになっちゃいますよ」

「俺はむしろ人間の感性がどんどんAI化してく方が心配だ」

新海は席に着き、「一緒にどうだ?」と言ったが、「結構です」と冷ややかな顔で断り別の席へ向かう。

——新しいテレビの時代が来る。

新海の言葉に、一縷《いちる》の期待を寄せたおれがバカだった。不承不承ながらも異動を受け入れたが、今自分のやっていることは買収元の片棒を担ぐことで、これはテレビ制作者たちへの裏切り行為に他ならない。

気がつくと、ラーメンの汁がトレイの上にこぼれていた。

各局の上半期平均視聴率が発表され、日堂テレビは四位という結果に終わった。

新海は定例社長会見で、これから巻き返しを図ると公言したが、それが絵空事にしか聞こえなかった。ＡＩ化したことで最下位に陥落する可能性だってある。むしろ落ちるところまで落ちて、この身売りは失敗だったと気がついて欲しいとさえ思った。


廊下の向こうに稲垣がいた。稲垣は紳治郎を見つけると駆け寄ってきた。

紳治郎の「ご無沙汰してます」の言葉を遮り、

「お前は俺を失業させる気か。自分がアナウンサーをやめたからって、こっちまで巻き添えにすることはないだろ。いつか文句を言ってやろうと思っていたんだ」

稲垣の唯一のナレーションの仕事もＡＩに奪われたのだ。

紳治郎は言い返す言葉が見つからなかった。


喫茶『クール』で永野に不満をぶつけるのが最近の恒例になっていた。

「稲垣さんにまで嫌われたんだぞ」

永野は台本に赤ペンで何か書き込みながら、はいはいと頷いた。

「おい、聞いてる？　テレビ始まって以来の危機なんだぞ」

「わたし、もうすぐ辞めるし」と顔を上げず赤ペンを走らせる。

「そういうのよくないぞ、ていうか、さっきから何してるんだよ」

永野はやっと顔を上げ、「明日のロケの予習です」

「あのね、そんなことしても無駄だよ。どうせＡＩがつまらなく編集してオンエアするんだから」

台本を覗くと、『ジャパンアニメ進化論』と書いてあった。

「草創期には、一時間のアニメを作るのに、百人以上のスタッフで、一年以上かかったんですよ」

止まった絵を動かすには一分間に七百枚以上の絵が必要で、今も日本のアニメは手描きが基本だという。

「手塚治虫は、半分のスタッフで、毎週三十分の放送を実現したんですって」

手塚は作画の手間を劇的に減らすため、様々な発明をしたという。人物の身体を動かさず、目や口だけを動かす口パクや、背景を変えて、動画を再利用したり。その後、アニメーターたちの手でいくつも発明が生まれ、日本のアニメは進化していった。

「迫力を出すために同じ絵を何度もズームしたり、止まった絵をゆっくりパンして、心象を表現する技法を『じわパン』って言うんですよ。発明に次ぐ発明がアニメを進化させたんです」

紳治郎は黙って聞いていた。永野の言葉から、今やるべきことが浮かびあがった。

「先輩、聞いてます？」

「ちょっと黙って」

「はっ？」

「発明か……」と顎を数回撫《な》でて、情報が面白くなる発明をすればいいんだと心で呟き、「サンキュー」と軽快に言って店を出て行った。永野は呆《あき》れた顔でその背中を見送った。

情報が面白ければ、映像は補助的なものでもいいんだ。

『マザー』に行くとトミーがいた。

「『完パケくん』を貸してくれ」

トミーはパソコンを開き『完パケくん』を起動した。

「前に観た、鎌倉のパスタ屋の素材はある？」

「これです」とフォルダをクリックして映像を呼び出した。

紳治郎は素材を食い入るように観た。

「ここんところ、もう一回、流してくれ」

ぶつぶつ何かを呟きながら観た。

「よし、わかった」と自分に言い聞かせるように言い、「今から、俺がナレーションを読めば、自動的に編集が始まるんだよな」とトミーに言った。

「そうですよ」

紳治郎はニヤリと笑い、ブースに入った。ブースのマイクで、「準備ができたらキューをくれ」と言った。

トミーは一連の操作をした後、「じゃあ、いきます。三、二、一、キュー」と紳治郎に指を差した。

――今回、ご紹介するのは鎌倉駅から三分のところにあるお店。ですが、住宅街の真ん中にあるのでわかりにくい！　ということで道順をラップで紹介。

　駅出たらライト、コンビニ手前でレフト、
　腹が減ったぜファイト、二つ目路地をライト……

と道順を喋った。店内の雰囲気を講談口調で語り、人気メニューのレシピを実況でまくしたてた。

喋り終わると、ブースの向こうでトミーが拍手をくれた。

紳治郎のナレーションに合わせて『完パケくん』が編集を始めた。

数ヵ所、細かい部分をトミーが自ら手直しし、再生すると、ラッパー、講談師、実況アナウンサーが軽快にお店を紹介するVTRが出来上がった。

「面白いです」とトミーが目を丸くして言った。

早速、瓜坂に持っていくと、何度も頷いた。

「AIに編集を任せて、人間が情報を面白く伝えれば、更にいい番組になるんですね」

AIが編集を担い、作業時間が軽減された分、その時間を面白いことを考えることに費やす。

紳治郎は他の映像素材にも独自のナレーションをつけた。するとそれをお手本に、各ディレクターたちも独自で面白いことを考え、作品に反映した。

あるディレクターは落語のご隠居と八っつぁんのやりとりでナレーションを構成し、あるディレクターは短歌ですべてのシーンを表現したり独自の演出を展開させた。

また食の情報だけでなく、視聴者のマニアックなリクエストにも応《こた》え、これまでテレビでは観たことのない分野のロケも敢行し、情報の範囲が大きく広がった。

紳治郎が新たなナレーションを録音しようとブースに入った時、スマホが震えた。

永野と画面に表示された。そもそもヒントをくれたのは永野だ。

「永野のお陰で……」と言いかけたところで、

「先輩、ニュース観ました？」と慌てた声で言った。

「いきなりなんだよ」

スマホの画面を操作すると信じられない文字が飛び込んできた。

『フリーアナウンサー、疾川順太郎、引退』

身体中の力が抜けていく。頭の中が揺れている。

トミーが駆け込んできた。

「紳治郎さん、大変です」

手に持ったスマホからニュースが流れている。

――フリーアナウンサーの疾川順太郎さんが引退を表明したと、所属事務所が発表しました。引退の理由など詳しいことはわかっていません。繰り返します
……。

「先輩、先輩、大丈夫ですか？」と永野。

永野の声が遠のいていく。意識がどこか違う世界へと向かっていた、ゆっくりとゆっくりと。

初めて疾川の声を聞いた瞬間、人生が動き出した、あの日へと吸い寄せられていった。

アナウンサーになろうと決めた

紳治郎が、疾川を知ったのは大学三年の冬だった。ラーメン屋のバイトの帰り道、何気なく聴いたラジオから、洪水のような言葉が押し寄せてきた。

――ヴェルミチェリ、パッパルデッレ、タッリアテッレ、カペリーニ、カペッリ・ダンジェロ、フェットチーネ、ツイーテ、ブカティーニ、リングイーネ、パッサテッリ、ピッツォッケリ、ゴール！

幾重にも音符が連なるような独特のリズム。

イタリア人がサッカー実況をしているのだと思い込んでいると、

——サッカーに聞こえた？

パスタの種類を連呼していただけ。

と飄々《ひょうひょう》と言い、言葉をまくしたて続けた。

紳治郎は吹き出しながら、イヤホンを耳孔の奥に押し込んだ。

この男の喋りが自分の人生を大きく変えた。

早速調べると、疾川は日堂テレビにアナウンサーとして十年在籍し、二年前、フリーアナウンサーになった、とある。

国際女子マラソン折り返し地点の実況に抜擢《ばってき》されたのが入社二年目。

そこから人気アナウンサーへと駆け上っていった。

あるスポーツジャーナリストは、「喋りは、海面を疾駆するトビウオのようにリズミカルで、写真のように正確な描写力。見えないものを浮き彫りにする比喩《ひゆ》表現。どれを取っても傑出している」と言った。

また、あるお笑い芸人は、「舌と口先だけで時代を駆け抜けた稀代《きたい》の喋り手。この世にある二億五千万の言葉とたった一人で闘う男。喋り手であると同時に破壊者である」と絶賛していた。

紳治郎は毎週、疾川のラジオを楽しみにするようになった。

疾川から届く数々の言葉たちにいつまでも浸っていたいと思った。

あの才能はどこからくるのだろうか。謳うように語っている。

まるで喋ることが業《ごう》であり、使命であるようだった。

——ラジオ実況の先駆者といえば、松内則三《まつうちのりぞう》アナウンサー、
「夕闇迫る神宮球場、今カラスが一羽、二羽、三羽、塒《ねぐら》へ帰ってゆきます」
早慶戦の試合終了の情景をこう語ったんだけど、
実際はカラスなんて飛んでいなかったんだ。
今だったらSNSで「カラス、飛んでない!」って炎上してしまう。
ちなみにこの人は「ピッチャー振りかぶって」という台詞《せりふ》を考えた人。
あの一連の動作をたった六文字で表現したんだ。
疾川は、DJが曲を繋ぐように、言葉を繋ぎ続けた。

――講談師はさ、釈台《しゃくだい》という机を前に、扇子と張り扇《はりおうぎ》を両手に持って、釈台を叩きながら講談を語るんだ。このパパンという音が句読点になっているんだ。
(パパン)
無礼者め！
もとより酒の上の悪い新左衛門。
えーいおのれ、手討ちだ。
(パパン)
宗悦の左のまなこがにゅるっと飛び出す。
いやっ、といったところ、えーいっ！
(パパン)
スパンと斬って捨てる。
二の太刀は左の肩先から乳の下にかけて、朱に染まって倒れる宗悦。
はっと我に返るが、
(パパン)
後の祭りでございました。

『真景累ヶ淵《しんけいかさねがふち》』の一節をお聴きいただきました。


ある時、疾川は映画のあらすじを喋った。

まるでスクリーンを観ているように画像が脳裏に浮かぶ。

後日、映画を観て驚いた。

喋りとカット割りが殆ど同じだったのだ。

疾川が喋るとあらゆるものがエンターテインメントになった。


アナウンサーと言えば、ニュース原稿を読んだり、司会進行をするのが仕事だと思っていたが、それとは違う。

次第に心の中にある気持ちが芽生え始めていた。


アナウンサーになりたい。

疾川のように喋ってみたい。

初めは小さな芽のようなものだったが、太陽のような疾川の喋りを浴びながらぐんぐん成長していった。

レコード針を落とした瞬間、ロックの虜《とりこ》になった。あるミュージシャンが音楽に目覚めたきっかけを語った記事を読んだことがあるが、それだ、まさにそれ。

自分の中に喋りの素養はないものか。そういえば高校生の時、魚屋のバイトで、客に売り方が上手《うま》いと褒められたことがある。怪談話で妹を泣かしたこともある。そうだ、国語の音読も好きだった。破片のような記憶をつなぎ合わせ、必然性を高めようとしている自分がいじらしい。

ベッドに寝転んで疾川のラジオを聴いていた。

今夜も、疾川は快調に喋っていた。

それじゃ、メール行きましょう。

中野区のラジオネーム、0223くんから。

いつも楽しく、そして毎週欠かさず拝聴しています。

突然ですが、アナウンサーに必要なことを十五個教えてください。

紳治郎は思わず飛び起きた。自分のメールが読まれている。

——徳川の将軍じゃないんだから、十五個は多いだろう。

まあ、いいっか。

0223くんはアナウンサー志望なんだ。

じゃあ、はっきり言っておく。

お前は落ちる。

アナウンサーにはなれない。

若い芽は摘んでおかないと。

一秒でも早く夢を諦《あきら》めさせるために、アナウンサーに必要なことを言うと、声量、滑舌、アクセント、語彙力、表現力、腹式呼吸、抑揚、描写力、比喩力、観察力、想像力、度胸、好奇心、あと二つは、根に持つことと才能に嫉《しっ》妬《と》すること。

俺はこの全てを兼ね備えている。

特に根に持つことはずば抜けてるし、
性格もかなり悪いんじゃないかな。

疾川は喋り続けた。

——アナウンサーになりたければ、どんなことがあっても喋り続けることだよ。この世は光、影、風、音、匂いでできている。絵師は紙に絵を浮かび上がらせる。音楽家は音にする。物書きは文章にする。そして喋り手は言葉にする。とにかく見たものを見たまま喋り続けるんだ。でなきゃ、この仕事を選ばない方がいい。

今、私の眼下には雨に濡《ぬ》れた東京の街が広がっています。雨が街を覆うように眼に映るものを言葉で濡らしたい。

日本にはたくさんの雨を表す言葉があります。生活の中で雨の細かい違いを敏感に感じ取って言葉にして伝えてきました。

春雨、五月雨《さみだれ》、緑雨、麦雨、小糠雨《こぬかあめ》、夕立、神立《かんだち》、秋雨、霧雨、秋霖《しゅうりん》、時雨《しぐれ》、氷雨《ひさめ》、凍雨《とうう》、鬼洗い、雨の言葉だけで四百種類もあると言われています。

全部の雨を体験して言葉にしたい、そう思うのが喋り手なのです。

雨水が木々、建物、大地に滴り落ちるように、全てのものを言葉でなめ尽くしたい。かつて江戸だった光景が東京に移り変わる時間の流れまでも言葉にしたい。この街で起きる出来事、喜怒哀楽を、生まれるもの消えてゆくもの全てを描写したい。

本屋の書物を全部朗読したい、映画を隅々まで描写したい、男と女の営みを実況したい、産道を通り誕生する生命を実況したい、死にゆく自分をも描写したい。もっと喋りたい。説明書、注意書き、とにかくなんでも喋りたい。


紳治郎はその場から動けずにいた。それはメールが読まれたからではなく、喋り続けている疾川に、お前は、俺より喋ることが好きかと問いかけられている気がしたからだった。

大学の就職課で資料を閲覧し、まず倍率に驚いた。

毎年のべ二万人以上の学生がエントリーし、第一次面接、カメラテスト、第二次面接、最終面接へと進み、アナウンサーになれるのは二十人弱という狭き門ということがわかった。

宝くじに当たるようなものだ。人生で宝くじに当たったこともなければ、こんな倍率を勝ち進んだこともない。

すっかり顔色《がんしょく》を失った紳治郎を見て気の毒に思ったのか、就職課の職員はアナウンス研究会のチラシをくれた。

「でも今からじゃね……」と苦笑した。

諦めきれない気持ちが肥大し、あえて未知の森に分け入った。

チラシには、マイクを擬人化したキャラクターが「言葉で人の心を揺さぶれ！来たれアナ研」と叫んでいる。

アナウンス研究会、通称アナ研は五十年の伝統を誇り、数々のアナウンサーを輩出してきた。部長の宮川倫也《みやがわともや》はこの時期にアナウンサーになりたいと言ってきた紳治郎を歓迎しなかった。

短髪を整髪料できっちりと七三に分けた、公務に熱心な秘書官のような宮川は、日当たりの悪い湿っている地面のようにねちねちと紳治郎に接した。

「今からアナウンサーを目指すということ？」

「まあ……」

「ここは話し方教室みたいな場所じゃないんだけどね」

宮川は「これ、声に出して読んでもらえる」と『外郎売』と書かれた小冊子を渡した。

「そと……そとろううり？」

表紙の漢字すら読めずにいると、『外郎売』も知らないってこと？」と言い、小冊子を見ずに喋り出した。

——拙者親方と申すは、お立ち会いの中に、ご存じのお方も御座りましょうが、御江戸を発《た》って二十里上方《かみがた》、相州小田原一色町《いっしきまち》をお過ぎなされて、青物町《あおものちょう》を登りへおいでなさるれば、欄干橋虎屋《とらや》藤右衛門《とうえもん》、只今は剃髪《ていはつ》致して、円斎《えんさい》となのりまする。


腹の底から響き渡る声量に圧倒された。

「ここまでになるには、毎日基礎をみっちりやって三年はかかるよ。だから今からじゃ、間に合わないと思う」

ここまで見せつけられても、入部したのは、〝根に持つこと〟、〝才能に嫉妬すること〟、という疾川の言葉を信じたからかもしれない。

『外郎売』を声に出してそらんじることを毎日の日課にした。

バイト先のラーメン屋でも、滑舌を意識し、「担々麺は、八種類のゴマがベースとなっております。白ゴマ、黒ゴマ、金ゴマ、洗いゴマ、皮むきゴマ、いりゴマ、すりゴマ、練りゴマ、これを鶏ガラスープと甜麵醬《テンメンジャン》、豆板醬《トウバンジャン》とで合わせ、コトコト煮込んだスープは絶品です」と希望を舌先にたくした。

部室へ続く小道は、いつも落ち葉が湿っていた。

宮川の接し方も相変わらずじめじめしており、部員全員の前で、「アナウンサーを目指すならこれくらいは読めると思うけど。読んでくれる」と何かのコピーを渡された。

硫黄島で起きた大地震を他人事だとは、時期尚早なことであり、時々刻々初心忘るべからず、常にあり得ると、創業家は間髪を入れずに言った。幕間になると三階から極彩色の服を着た婦人が現れ、牛車を引いた話、馬そりに乗った話、帆船を見た話をした後、上総出身の関西学院大学の若者は秋田犬と小女子と松阪牛が好きだと言った。

紳治郎は下読みする間も無く、それを読み上げた。

「イオウジマで起きたダイジシンをタニンゴトだとは、ジキソーショーなことであり、ジジコクコク初心忘るべからず、常にアリエルと、ソーギョーカはカンパツヲイレズに言った。マクマになるとサンカイからゴクサイショクの服を着た婦人が現れ、ギューシャを引いた話、ウマソリに乗った話、ホセンを見た話をした後、ジョウソウ出身のカンサイガクインダイガクの若者はアキタケンとショージョシとマツザカギュウが好きだと言った」

宮川は「はい」と不敵な笑みを浮かべ、「完璧に読み間違えてくれてありがとう」と言った。

紳治郎は、あちゃーと天を仰いだ。

「正解を教えてやって」と一年の部員に言う。

「イオートーで起きたオージジンをヒトゴトだとは、ジキショーソーなことであり、ジジコッコク初心忘るべからず、常にアリウルと、ソーギョーケはカン・ハッヲイレズに言った。マクアイになるとサンガイからゴクサイシキの服を着た婦人が現れ、ギッシャを引いた話、バソリに乗った話、ハンセンを見た話をした後、カズサ出身のカンセーガクインダイガクの若者はアキタイヌとコーナゴとマツサカウシが好きだと言った」

一年の部員は間違えることなく読み上げた。

誰もがすぐやめるだろうと思っていたが、唯一の支えは疾川だった。

ラジオから聴こえる疾川の声は今日も自信に満ちていた。

あー、アナウンサーになりたい。

何かを声に出していないとおかしくなりそうだった。

——アセトアミノフェン９００mg
クロルフェミラミンマレイン酸塩７・５mg
チペピジンヒベンズ酸塩75mg
小柴胡湯《しょうさいことう》乾燥エキス８４２・１mg

と風邪薬の成分を読み上げ気を紛らわせた。

エントリーシートの受付が始まり、思いの丈《たけ》をそれにぶつけたが、ありきたりの言葉で着膨れした文章はいったい何が言いたいのかわからなく、戻ってくるのはお祈りメールばかりだった。

ＯＢ訪問も精力的に行なったが、「安道君さ、ワイシャツの下に柄物のＴシャツは着ない方がいいよ」とか「ミーハー気分で就活するならそれは時間の無駄」とか「きみもアナウンサーになりたいんなら、まともな質問を考えてくるべきだよ」といった、ご指摘ばかり賜《たまわ》った。

「的を得ない質問ばかりしてすみませんでした」とせめてもの言葉を言うと、「的を得るは間違い。的を射るが正しい言い方」と相手は去っていった。

一口も口をつけなかったコーヒーに映った顔を見て確信した。どうやら自分は相手をいらいらさせてしまうらしい。

宮川以外の部員は、親切にアナウンサーへの就活方法を伝授してくれた。

キー局全て、地方局とラジオ局の数局にエントリーシートを出しなさいと諭してくれ、エントリーシートの書き方も教えてくれた。

エントリーシートはわかりやすく簡潔に、好奇心旺盛、明るい、積極的などの抽象的な表現は避ける。応募者の大半が書類選考で落とされてしまうので写真は気を遣っても遣いすぎることはないくらい重要である。歌舞伎町に、キャバクラ嬢がナンバーワンになれる伝説の写真スタジオがあるという情報も伝授された。

女子たちのエントリーシートはあえて手書きで、カラフルな色でキャッチコピーまでついている。

『日本に活力を！　元気一杯、やる気の真依子！』

『踊り続けて十七年、踊って喋れる女子アナを目指します！』

『未来へ羽ばたけ！　喋ります宣言、布美枝スマイル』

アイドルのオーディションさながらの自己アピールだ。

紳治郎が部室でエントリーシートを書いていると、宮川が入ってきた。

気まずい空気に窒息しそうになりながら書いていると、「疾川順太郎に憧れてただけでなれるほど、アナウンサーは甘くないから」と冷ややかに言った。

あまりのことに紳治郎は口を開けたままでいた。

「あの人のライブを観たことあるか？」

「いや……」

「『トーキングジャム』を知らないのか？　勉強不足なんだよ」と呆れた口調で言う。

「すみません」

「デュエット落語は逸品だった。古今亭志ん朝の落語に合わせて一緒に喋るんだ。一字一句同じ。それがまるでデュエットしているように聞こえる」

紳治郎は、宮川が熱く語るのを見て驚いた。

冒頭、疾川はスポットライトの下でいきなり落語を始めた。

演目は『文七元結《ぶんしちもっとい》』という人情噺《ばなし》だった。

しばらく疾川が落語を語っていると、どこからともなく誰かの声が聞こえる。かすかにうっすらと。少しずつ音量が大きくなり、それが志ん朝の声だとわかる。やがてボリュームが大きくなると、それは志ん朝が『文七元結』を語っていることがわかり、疾川の喋りと志ん朝の声が揃《そろ》っているのがわかる。

疾川は志ん朝の落語を一字一句覚え、その間《ま》の通りに喋っていたのだ。

どこまでも疾川の喋りと志ん朝の落語がぴったり重なっている。まるでデュエットしているように二人が落語を演じた。

一字一句台詞が同じ、息遣い、間、抑揚も同じ、まさにイリュージョンだった。

「いいか、疾川に憧れて日堂テレビに入りたい大学生はごまんといる。ラジオを聴いただけで、アナウンサーに憧れるなんて」と言い、「俺は、日堂テレビのアナウンサーになって疾川以上の喋り手になる」と宮川は宣言した。

「宮川はなれるよ、お互いガンバ……」と言いかけたところで、宮川はメガネの縁を両手中指の腹の部分で挟んで持ち上げ、「アナウンサーになろうなんて、おこがましいんだよ」と言い残し部室を出て行った。

どうやら自分は嫌われているらしい、ということだけはわかった。

アナウンサーの基礎からやっていたのでは、宮川に追いつけない。片っ端から疾川の喋りを文字に起こし、お経のように暗記した。

――プロレス実況の草分けといえば、清水一郎アナウンサー。

スポーツ行進曲に乗せて「全国三千万人のプロレスファンのみなさん今晩は」

言葉が行進してるんだ、胸躍るね。これがスタンダードだとすれば、舟橋慶一アナウンサーの導入はまるでドラマだ。

「古代ローマ、パンクラチオンの時代から、人は強い者への憧憬を深めてまいりました。今、燃える闘魂・アントニオ猪木が一歩一歩リングへと向かいます」

この口調、演歌の前口上に似てないか？

「小さな酒場に女が一人、心にかかった暖簾《のれん》の奥に、あなたへの想いがこみ上げる。さあ、歌っていただきましょう」

七五調の音的快感をプロレスに持ち込んだ、まさに舌先の異種格闘技！

面接の場でそう披露すると、面接官は笑い、手元で丸を書く仕草が見えた。

アナ研の飲み会の時だった。

駅前のアルコールすべてが二百九十円均一で飲める居酒屋は、夕方六時を回った時点で、中高年で華やいでいた。

宮川の滑舌のいい挨拶で飲み会は始まった。

シニアたちの話題が健康話なら、部員たちは就活の話だった。

「やる気満々ですって態度は、逆にマルがつかないんだって」

「俺、結構そのアピールしてるわ」

「でも、地方局はやる気満々の即戦力になりそうな人を採用するらしいよ」

「どっちなんだよ」お互いがライバルであるにもかかわらず、交換しあうのは、何が正解か不正解かがわからないからだ。

周りは会社訪問の数をこなすことに充足を感じ、日々、忙しくしていることが就活だというように麻痺《まひ》してくる。

「どれも結果論だし、参考になるものだけ参考にして、全てに惑わされない方がいいよ」と紳治郎が言うと、「そうだな。安道の言う通りだ」と宮川が言い、「今一番惑わされている安道が言うんだから間違いない」と嫌味を言った。

その言葉にカチンときた。

「どうした。顔色が変わったけど、図星ってことだろ」と宮川はぐいぐいと攻めこんできた。

「学生のうちは基礎をしっかりやって、自分なんて出さないほうがいいんだよ。お前みたいにむやみに驚いたり、落胆したり、存在がうるさいんだ。アナウンサーの本分は、上と下の感情を切って、真ん中で話せばいい。それがうちの伝統だ」

「基礎で満足してるんだったら、ずっと練習していろよ」

「はっ？　お前に言われたくないね。少しは上手くなってから言えよ。疾川のモノマネじゃねぇか」

話はいっきに対立しはじめる。就活で心が不安定になっているのと、これまでの鬱憤《うっぷん》が化学反応を起こし、堰《せき》を切ったように雑言があふれ出した。それは宮川も一緒だった。

「表出ろ」と宮川が叫んだ。

「望むところだよ」とすぐさま返す。

「ちょっともうやめようよ」と部員が割って入ったが、宮川は外に向かって歩き出した。紳治郎もその背中を追いかけた。

部員たちもそれに続く。ただならぬ空気を感じ数人の客も外に出て二人を囲んだ。

紳治郎は宮川を睨《にら》みつけ顔を近づけ、「コノタケガキニタケタテカケタノハタケタテカケタカッタカラダ」と早口言葉をまくしたてた。

それを受けて宮川も「トナリノキャリーパミュパミュハ、ヨクパフェクウキャリーパミュパミュダ」と言い返す。

負けじと、「一方シンボリルドルフにまたがり、本命ドルゴルスレン・ダグワドルジこと横綱朝青龍《あさしょうりゅう》登場。竹垣に竹立てかけたのは、竹立てかけたかったから竹立てかけたのだと猛《たけ》り狂う栃乃洋《とちのなだ》も参戦だ」とまくしたてると宮川は、「拙者親方と申すは、お立ち会いの中に、ご存じのお方も御座りましょうが、御江戸を発って二十里上方、相州小田原一色町をお過ぎなされて、青物町を登りへおいでなさるれば、欄干橋虎屋藤右衛門、只今は剃髪致して、円斎となのりまする」と驚くような速さで喋った。

二人は道の真ん中で、顔を突き合わせ喋り続けた。唾《つば》も飛んだ。

野次馬の一人が、「これ何してんの？」と尋ねると、部員の誰かが言った。

「きっと、どっちが話すことが好きかを競っているんです」

アナ研で内定が出たのは、宮川と紳治郎の二人だった。

宮川は毎朝テレビから内定をもらい、疾川がいた日堂テレビに入れたのは紳治郎だった。採用の決め手は、役員面接で、疾川のモノマネがおじさんたちにウケたからだった。

日堂テレビが第一志望だった宮川は、かなり荒れたとアナ研の後輩から聞いた。紳治郎への恨み節をつらつらと喋り倒したという。絶対に紳治郎より質のいいアナウンサーになってやると何度も言ったそうだ。

山手線描写

日堂テレビアナウンス室は、伝統的に先輩アナウンサーがマンツーマンで付き、新人研修を行う。基礎を磨き、先輩のかばん持ちをすることで、アナウンサーに必要な所作振る舞いを覚えていくのだ。

紳治郎に付いたのは十年先輩の稲垣という男だった。

「てっきり、宮川くんがうちに来るもんだと思ってたよ」

ボストンタイプのメガネをあげ、大きな瞳で紳治郎を見て、稲垣はそう言った。アナウンサーたちは正統派の宮川を推したのだと、本人に面と向かってそういうことが言える男だった。

「でかけるぞ」

基礎練習の後、更衣室で着替えていると、稲垣の声がした。紳治郎はネクタイを結びながら飛び出し、稲垣の後を追った。

「もしかして、ロケですか？」心弾ませ聞くと、稲垣はそれには答えず先を行った。

きっとロケを見学できる。現場にいるディレクターに自分をアピールすれば、すぐ仕事をもらえるかもしれない。期待は膨らんだ。

渋谷駅に来た。切符を渡され山手線外回りに乗り込んだ。

電車が滑り出すと同時に、「これから毎日、電車から見える風景を描写しろ。山手線一周分だ。毎日必ずだ」と流れる車窓を見ながら稲垣が言った。

「俺は次の駅で降りる。一周分、乗車したら、戻ってこい」

乗車券を見ると、渋谷↓渋谷とある。

「アナウンサーの描写力を磨く訓練だ」

電車が原宿駅に着き、ドアが開くと、「まあ、頑張れ」と言葉を残して降りた。

日中の山手線は人もまばらで、乗客は雑誌かなにかに目を落としているが羞恥心《しゅうちしん》が頭をもたげる。なるべく人の少ない車両を選び、車窓からの風景を、口だけ動かし、言葉にしてみた。

が、すぐ言葉に詰まった。電車のスピードに言葉が追いつかない。

停車するたび気持ちを整え、再挑戦してみるが描写が追いつかなかった。

山手線は一周ざっと一時間を要する。

車窓からの景色は、若者向けの店、オフィス街、歓楽街、下町、工場地帯と多様な顔を持っているのがわかった。それを言葉にしてみるが、説明でしかない。その描写に面白さは微塵《みじん》もなかった。

最初は、すぐに言葉につまり、ひと駅で話すことができなくなり、ただ車窓を眺めているだけだった。

圧倒的に語彙が足りない、描写力がない、頭によぎったことを言葉にするまで時間がかかりすぎだった。

数日後、稲垣に成果を見せたが、すぐに言葉に詰まった。

「上手に描写しようと思うな。何を話そうかなんて考えていたら、いつまでたっても話せないぞ。とにかく単語でいいから声に出せ。浮かんだことを声にする。脳にその回路を作れ」

目に飛び込んだものを、とにかく言葉にした。言葉というより単語だ。ビル、車、公園、女子高生、サラリーマン……、連呼するだけで精一杯で描写とは程遠かった。

何日か続けると、多少、単語の連なりが描写っぽくなってきた。

——建設中のビルにトラックが入ってゆきました。

——青に変わった瞬間、都会で戦う群れが動き出した。

稲垣に披露したが、小学生の作文以下だと途中で止められ、「お前の感覚には色がないのか、音がないのか、肌で感じるものはないのか、まったくイマジネーションが湧かない」と言われた。

流れる景色の速さに慣れ、色や匂いを少しずつ感じられるようになったのは一ヵ月を過ぎたあたりだった。

山手線に乗る前、下準備をしてみた。各駅にはどんな建物があるのか、表現に使えそうな言葉をノートに書き留めたりもした。

——今、黄緑色の屋根の小さな駅を通過いたしました。一瞬で見落としてしまいそうなこの駅は別名、宮廷ホームと呼ばれる皇室専用の特別駅であります。電車は原宿駅に滑り込み、今、ゆっくりと停車いたしました。今、私の目の前にはアイドルが看板という額縁の中で乗客たちに向かって微笑んでいます。手には梅酒を持っているぞ。その横に、梅の量二十パーセントアップとコピーが書かれている。アイドルの微笑みもいつもより二十パーセントアップしていると思うのは、今日の陽気のせいでありましょうか。そんなことを言っているうちに電車はゆっくりと動き出した。

明治通りは今日も聖地巡礼の若者たちの群れがひしめき合っています。少しゆくと芝生が続きます。緑の稜線の向こうに広がるのは雑居ビルの山脈地帯であります。

そして宮下公園が見えてきたぞ。スプレーアーティストとスケートボーダーの憩いの場。おっと今、スケボーに乗った若者がトビウオのように飛び跳ねたぞ。そういったあたりで電車はゆっくりとスピードを落とし、渋谷駅へとやって参りました。今日もこの駅に一体、どれくらいの人が乗降するのでありましょうか。

今、私もその中の一人となって渋谷という大海原へと出かけてゆきます。

紳治郎はゆっくりと電車が停車したタイミングで描写を終了させた。

継続は少しずつ、舌を滑らかにし、滑舌をよくしてくれることを、この経験で感じた。

紳治郎はこれまでの疾川のラジオを聴き返してみた。今まで疾川の喋りを丸暗記しようと録音したものだったが、今回は聴く趣旨が違う。

疾川の喋りには思わず笑ってしまう箇所がいくつもある。なんで疾川は面白い話ができるのか……、そのポイントを探るべく何度も聴いてみた。

プロになった今、自分と疾川の明らかな違いに気づいた。それは、自分は面白くないということだ。面白いことを話す構造、理論、術、感性、なにもかも持ち合わせていない。

稲垣がその悩みに気づいたのか、いきなりメールがあり、家電量販店に呼び出された。

「カード持ってる？」

「ポイントカードですか？」とカードを見せる。

「今日はポイントが貯まるぞ」

向かった先はテレビ売り場だった。

稲垣は店員に二六インチの薄型テレビを指差し、「あれ数台買えば、もう少し安くなる？」と聞いた。

ハッピ姿の店員は電卓を手に持ち、「お値引きも可能ですよ」と臨戦態勢に入った。

「じゃあ、これを六台ください」

耳を疑ったのは店員ではなく紳治郎だった。

店員は電卓をはじくと、値引き金額を稲垣に見せた。

「うん。それくらい値引きしてもらえれば十分だろ」と稲垣は話を進めた。

「六台もどうするんですか？」と聞くと、

「これで全局の番組が見られるぞ。いつまでも疾川さんのモノマネアナウンサーじゃ意味がないぞ。面白くなりたいんだろ」と一笑した。

意味がわからない。どうして面白くなれるのか。

「テレビを見る時は全局をつけろ。その中から自分が一番面白いと思う番組を選べ。その番組が視聴率を取っていればお前の感性は正しい。違っていたら視聴者の感性とずれているってことだ」

三十万円近い出費はかなり痛かった。

狭いリビングに六台のテレビが並んだ。ＦＢＩが犯人を監視するために借りた部屋のようになってしまった。全局のテレビと向き合う生活が始まった。

全局の番組を見比べてみると、同じ時間帯でも、それぞれ個性があることに気づく。

この中でどの番組が視聴率を取るのか？　そもそも視聴率とはなんなのか？　という疑問に出会う。

調べてみると、同時間帯にテレビをつけている家庭が視聴している番組の割合を数値化したものが視聴率なのだ。ちなみに、テレビをつけている割合をHUTと呼ぶ。ゴールデンタイムのHUTはだいたい六十パーセントくらい。このパーセントを各局で奪い合っている。

紳治郎は、ゴールデンタイムの番組を観ながら、視聴率を予想してみた。二十代の男性の目で番組を見ると、お笑いタレントが出てる番組が好みで、食や健康を扱った番組、ニュースなどに興味は湧かなかった。

翌日、出た視聴率と見比べると殆どが外れていた。数字の取れる番組と自分の感性が離れていたことがショックだった。

もっとショックだったのは、朝の番組に宮川が出ていたことだ。一坪ほどの狭小店舗で営業しているメロンパン屋のリポートだったが、画面いっぱいに元気が溢《あふ》れていた。あの陰気で性格の悪い宮川がだ。クッションを抱きしめ悶絶する。

帰宅して、録画しておいたゴールデンタイムの番組を見比べるのが日課になった。その内、どの番組が数字を取るかが、わかるようになった。音声を消していても、何をしているかいち早く理解できる番組が、共通して数字が良かった。翌日、クレジットカードの引き落としで預金がぐっと減った。この心情を描写してみたがちっとも面白くなかった。

言葉が死ぬからだ。

——明後日、イースタンの試合がある。それまでに下準備して、球場にこい。

また、稲垣からメールだ。

山手線実況のおかげで一時間喋っても言葉が足りなくなることはなくなった。起きたことも瞬時に言葉にできるようになった。

一時間ほど前に球場に行き、バックネット裏で資料を確認した。

二軍の選手の経歴は、スポーツ局の資料室で調べた。経歴と顔写真入りのお手製のノートを眺め、試合をイメージする。

もう疾川のモノマネとは言わせない。そう意気込む。

稲垣は球場全体が見渡せる場所へと紳治郎を連れてゆき、「ここで喋れ」と言った。

ほどなくして試合が始まった。

マイクもモニターもないが、初実況だ。

――さあ、一回の表の攻撃、バッターは一番、三年目、矢沢がボックスに立ちます。矢沢の出身は、京都は嵯峨野《さがの》の竹林のそばと聞いています。そういった意味ではまさにさおだけ打法。ピッチャー、振りかぶって第一球投げました。ストライク、インコース低めに決まった。

紳治郎はあえて低いトーンで喋り始めた。それはなにかが起きた時、声を張り上げ、メリハリをつけるためだ。


――二球目は、外にはずれ、ボール、これでカウント、ワンエンドワン。風はライトからレフトに向かって吹いています。

さあ、振りかぶって三球目投げた。

打った！　ライナー性のあたり！　してやったり！　左中間を抜けた！


「打った」のあたりから声を張り上げた。声の強弱が臨場感につながる。

稲垣は何も言わず聞いていた。

少しは成長したと感じるはずだ。そんな気持ちがよぎった。

試合は進み、事前に考えたフレーズを実況に盛り込んだ。

いいフレーズは、短い言葉で選手の特徴を言い現したものだ。

俊足の選手が盗塁を決めた。

――成田出身の田辺が盗塁成功。そう言った意味では、まさに塁間の成田エキスプレスだ。

その後も準備したフレーズをふんだんに実況に盛り込んだ。

試合が終わり、稲垣は缶コーヒーを紳治郎に渡した。

「おつかれさん」

「…………」

「臨場感は伝わった。いいプレイが起きるとアナウンサーは絶叫する。アナウンサーは興奮しているふりができる。口調は興奮していても、頭の中は常に冷静だ。目の前のことを正確にまくしたてながら次のことを考えている。それができていた」

「はい」

思わず嬉しさが声に出た。

「でもな、勘違いするな」とここから展開が変わった。

「中継はお前が主役じゃない。準備したことを、是が非でも言いたい。それは実況じゃない。盗塁を決めた描写に自分が酔いしれてどうする。あの選手は、故障から復帰して、久しぶりに盗塁を決めた。あの盗塁でピッチャーは崩れ出し、それが得点につながった。試合を見ずに、ノートに目を落としてばかりだ。そんな言葉は伝わらない」

ただ頷くしかできなかった。

「一番大切なのは、選手への尊敬の念だ。それが紳治郎には全くない。主役は、目の前でプレイしている選手だ。そのための下準備だ。目の前のことを生かせないフレーズは、全部捨てろ」

「描写ならいくらでもできます」と食い下がると、お前の話は長いだけで、ちっとも心が動かない。説明ばっかだ。読み込んだ資料を言いたいだけだ。夏目漱石に酷評された木島櫻谷《このしまおうこく》の『寒月』と一緒だと難解なダメ出しをして、その絵を見せた。月は寒いでしょと言ってる。竹は夜でしょと言ってる。動物は昼ですと答えてる。すべてがちぐはぐってことだ。説明するな、気持ちを伝えろ。わかるか？　お前には一生わからない。

と言われても高度過ぎて何を叱られているのかさえわからなかった。

「疾川さんの実況の真似をするなら、精神まで真似ろ」

疾川は誰よりも早く現場に入り、誰よりも遅くまで現場で取材を続けた。どんなに小さい大会でも、予選でも地区大会でもその姿勢は変わらなかった。

正確な情報を絶妙なタイミングで伝え、視聴者がなにに注目しているかを知り、実況に使えそうな知識を頭に叩き込み、冷静に臨場感を伝えることができる。その上、類《たぐい》まれなる語彙力を駆使し、目の前で起きているゲームをまるで名コラムのように構成する。それが疾川だと稲垣は言った。

「お前が憧れているアナウンサーはそんなすごさを持っているんだ」

聞きながら缶コーヒーを強く握った。


ナレーション録りがあるからと、録音スタジオに呼ばれた。

自分にナレーションの仕事が来たのかと期待したが、現場を見学するだけだった。

稲垣はナレーション原稿を片手にVTRを見ていた。

時折、VTRを止めて、赤ペンで何か書き込んだ。

なんで、声に出して読まないのか？　一発で決める自信があるからなのか。

稲垣は録音ブースに入り、VTRに合わせナレーションを読んだ。数ページある原稿を一度もつっかえることなく読みこなし、すべて一発OKだった。

お前も読んでみるかと稲垣に言われた。

日頃の成果を見せるチャンスだ。五分くださいと、下読みを始めた。

読みにくい箇所は、何度も声に出して読んだ。

周りのもうそろそろいいだろうという空気を感じたので、録音ブースに入った。

ＶＴＲが流れた。映像に合わせ原稿を読んだが、秒数が足りなかったり、オーバーしたり、タイミングがバラバラだった。

何度も言葉を噛んだ。

ガラス越しにディレクターが苦笑しているのが見えた。

ディレクターは、「初めてにしてはなかなかいいと思いますよ」と言ったが、それは明らかに同情の言葉だ。

帰り道、「何が足りないんでしょうか？」と聞くと、

「聞いて大成したやつはいない」と稲垣は顔を見ずに言った。

「下読みで、俺が声に出して読まないのは言葉が死ぬからだ」稲垣はそう言って去っていった。

アナウンサーになって半年が過ぎていた。未だレギュラーの仕事は来なかった。

何が自分に足りないのか、聞くわけにもゆかず、探し物がわからないまま、探し続ける毎日だった。

稲垣から、浅草に来い、と、メールがあったのは秋のことだった。

メールにある住所を訪ねると、狭い道沿いにある小さな一軒家だった。

表札に、坂本鏡之介《さかもときょうのすけ》とある。聞いたことのない名前だった。

家の前で、稲垣の携帯にメールすると、ドアが開き稲垣が出てきた。

「おう、来たか」

「どなたのお宅なんですか？」

「最近、元気ないようだから、もっと落ち込ませてやる。まあ、あがれ」

居間で正座して待っていると、ふすまが開き、和服姿の小柄な老人が入ってきた。禿《は》げ上がった額の上にわずかばかり白い毛が生えていて、浅黒い肌にはいくつものシミがある。顔中に彫刻のような皺《しわ》が刻まれている。「連れてきました」と稲垣が言うと、老人は軽く会釈し、涙袋からはみ出しそうな大きな瞳で紳治郎を見た。

「香具師の坂本鏡之介先生だ。俺も疾川さんにここに連れてこられ、ここで修業した」

紳治郎は頭を下げ、自己紹介した。

「会社には言ってある。しばらく、ここに通って香具師の話芸を教えてもらえ」

「え？」

は白一色だった。

稲垣は、坂本に深々と頭を下げると、帰っていった。

残された紳治郎の目の前には坂本がいる。なにか話そうと言葉を探すが、頭の中は白一色だった。


とりあえず口をついて出たのは、天気の話だった。天気の話は偉大だ。

湿気の多い日はリュウマチが痛むという話の後、坂本は香具師の発声を見せた。

坂本は腹のあたりに手を添えて、ゆっくりと息を吸い、声を放った。

響き渡る声が微細に揺れて、目に見えないはずの空気の振動が見える。

紳治郎の細胞という細胞に声が染みてゆく感覚を覚えた。

凄みがありながらも声が透き通っている。身体中が共鳴しあっている。

部屋中の空気が坂本の声で埋まっていく。窓ガラスも震えている。

この人の下《もと》で学びたい、塞《ふさ》ぎ込んだ毎日がときめきに変わった。

紳治郎は山手線の描写の後、足繁く坂本の下へ通った。稲垣に感謝のメールを長々と送り、長い、と一言だけ返事が返ってきたが嬉しかった。

本屋を巡り、香具師について勉強した。

香具師とは祭りの縁日などで、口上をまくし立てながら物を売る人たちのことである。

そもそも「香具師（やし）」は読んで字のごとく「香具師（こうぐし）」と呼ばれ

ていた。

香具師の香は、お香のことをさす。栴檀《せんだん》、陳皮《ちんぴ》、麝香《じやこう》、線香などのことである。昔、戦乱の世の武士はそれを粉末にして袋に入れ身につけていた。馥郁《ふくいく》たる薫香を発する匂い袋は高価なもので、主に上流階級の身だしなみとして広まった。武士は戦にそれを身につけ、敗死した時、屍骸《しがい》の腐臭を防ぐために使った。

具は仏具のことで、仏画、鈴、木魚の類をさす。

師は文字通り先生であって、香と具について教える知識を持った者のこと。

香具師は、難解な経文の解読、香の使用法、仏具の扱い方など高度な仏教の知識を必要とする商法で、かつては、知識階級の武士がこの香具師を名乗っていた。

「こうぐし」が「やし」に転じたのは、朝廷に仕えていた武士たちが都の周辺の郊外に住んでいたことで「野武士（のぶし）」と呼ばれていたが、時の流れで武士を捨て、香具を売って生計を立てるようになり、今更、武士を名乗ることを恐れ多いと、「武」を取って「野士（やし）」と称し、そこから「香具師」に転じたと言われている。

元来、戦いの資金調達の手段として香具師は存在した。

人が集まる神社仏閣に市を開き、そこで仏具などを売る。縁日の起源であった。

香具師は道ゆく人の足を止め、つま先を自分の方に向ける話芸を持っていなければならないということだ。発声、言葉のリズム、そして人を惹きつける話術、全て兼ね備えていなければ人は立ち止まらない。それを取得すれば道が開ける。忍者が忍びの術を学ぶような心境だったが、坂本の話芸を聞くと、同じ喋り手であることが恥ずかしくなる。

そして、あの唸りを聞いてからは……。

坂本は、紳治郎のボールペンを摑《つか》むと、万年筆売りの啖呵《たんか》売《ばい》をやって見せた。

――ほら、これはいいペンだろ、みなさんもっと、前のほうにいらっしゃい。ほら、そっちの綺麗なお姉さんも。立派な社会人になりたきゃ、ちゃんと聞いておいたほうがいいよ。

中空を見上げ急に大声を張り上げた。

――今まで日本には三大万年筆と称しまして……。

と独特の節をつけてがなりだす。

——サンエス、ウォーターマン、パイロットと高いお値段を出さなくちゃ買えないような万年筆が沢山ございました。しかし、大金を出して、文房具屋さんで買う万年筆。これはいくら高いって言ったって、ペン先が折れた欠けたではなんの使い道にもならん。

と言って嘆息したあと、ここからはまるで謡《うた》うように語り出した。

——そこで北海道十勝の国、
石狩川の上流に研修所を設けた、
神田の工学博士・北村ヨシオ先生が、
三年八ヵ月と言う長い間、
研究に研究を重ねまして、
ロッポウ石に珪石《けいせき》の粉末合成、
千二百度以上の熱を込めまして、
引き伸ばしました、
硬質ナトリュウムペン！
これはどーんなに強く書いたって

ペン先が折れたり、欠けたりということがない！

ほれ手にとって書いてみなさい。


とボールペンを紳治郎の鼻先に突きつけた。

ここで坂本は柔和な顔になり、

「啖呵売をちょいとお聞きいただきました」と締めた。

ボールペンを受け取ったが動けずにいた。

圧倒された。謡うように語っている。

何百年も受け継がれた名器が奏でる重厚な独奏曲だ。

同じ人間の声帯から出る声とは思えぬ迫力に満ちていた。言葉を失った。

アナウンサーにここまでの語りを求めるというのなら、それは無理だ。この人と同じ土俵で戦えるアナウンサーなんているものか。

紳治郎は目の前で起きた出来事が、夢か現《うつつ》か区別さえつかない状態にあった。

紳治郎は、台所に立ち、緑茶を淹れた。

坂本はすすった。

「猫舌なもんでな」

「喋り手は猫舌の方が向いてるんですか？」と紳治郎は言った後、なんてまぬけな質問をしたのだろうと後悔した。

「面白い事言うね」と坂本は目を細めた。目尻に好々爺《こうこうや》の優しい皺が広がった。

紳治郎は毎日のように通い、弟子が師匠に話芸を教わるように、口立て香具師のネタを学んだ。坂本と対峙して座り、喋り方、表情、リズムを間近で学ぶ。ネタはレコーダーに録音し、自宅でそれを文字に起こし、何度も復唱した。

年が明ける頃には、バナナの叩き売り、ガマの油売り、七色唐辛子売り、泣き売、など、たくさんの香具師の口上を吸収した。

休みの日は、朝から家に行き、雑巾掛けをしながら、歌の代わりに、「一は万物の始まり、二は憎まれっ子世にはばかる、三十三は女の大厄、産で死んだが三島のおせん。三、三、ロッポウ引くべからず、これを引くのが男の度胸、女が愛嬌《あいきょう》で、坊主がお経……」と口上をまくしたてた。

それが楽しくって、嬉しくって、仕方がなかった。自分が面白い人間になった気がした。

心と現実が折り合わない時、掃除すると気が晴れる。そんな気持ちも混じっていたかもしれない。

坂本の前で、覚えたネタを披露すると、目を細め上達ぶりを褒めてくれた。褒められた勢いで、喋りに対する悩みも打ち明けた。面白さとは何か。自分はどうして面白くないのか。どうしたら面白くなれるのか。坂本の前では驚くほど素直になれた。

「そいつぁね、簡単さ。一度、往来で口上をやってみるといいよ」と坂本は言った。

香具師の口上は伝統芸能でもなんでもない。言葉でもって、道ゆく人を、聴衆に変えて、お客に変えてこその口上だと言った。

「まあ、こっから先は自分でおやんなさい。面白くなるためにね」と言った。

自分自身が香具師になる。考えた挙句、巣鴨《すがも》へ行き、赤いパンツを百枚購入した。

幸福の赤い力、健寿の贈り物赤いパンツ、とパソコンでチラシを作成し、赤いベッチンの布を使ってワゴンを作り、講釈師の張り扇を作った。

前日、下町界隈《かいわい》を歩き回り、口上する場所を選んで回った。

銀行強盗の下見のような緊張感、ゲリラライブを企てるミュージシャンのような高揚感があった。

ある神社の境内で、骨董市《こっとういち》があることを知り、開催団体に問い合わせると、すんなり一画を借りることができた。

凍てつくような寒い日曜だった。

ポンチョの中に、使い捨てカイロをいくつも忍ばせ、準備をしていると、あっと言う間に開催時間がやってきた。ポンチョを脱ぎ捨て、ハッピ姿に腹巻、雪駄《せった》という出で立ちで、ワゴンというステージに立つ。

赤いパンツはいかに縁起がいいかという口上をまくしたてる。

——赤は若さの象徴。赤子が泣き叫ぶ、あれは生きるエネルギー。還暦で赤いチャンチャンコを着るのは、六十年という周期を一周して、また生まれ変わったアカシだ。だから、赤は縁起がいい、体にもいい。赤いトマトはリコピン豊富、赤ずきんちゃんのオオカミは性欲旺盛《おうせい》、赤ヘルカープは打線が好調。

紳治郎は喋り続けた。客は、足を止め、つま先を紳治郎に向けたが、それはほんの僅《わず》かな時間で、再び、歩き去っていく。ウケない。滑っている、自分は滑り続けている。氷上で足をからませ転んで、身体がどこまでも滑り続け止まらない。そんな心情だ。

定価で売って、儲《もう》けはゼロでいいや、と思ったが、値段を下げても売れない。「もってけ、泥棒！」は飛ぶように売れた時に、絶妙のタイミングで言おうと思った決め台詞だったが、出番がない。

誰か買ってくれ、頼む、誰か笑ってくれ、泣きそうになりながら、口上を続けるが、もはや立ち止まる者さえいなかった。

屈辱だったのは、黙っている時に数枚、売れたことだ。結局、紳治郎の口上を聞き、買う者は一人もいなかった。

坂本にそのことを告げると、面白くなるには、まず地獄を見なきゃねと笑った。

そして、疾川の話を始めた。

「稽古《けいこ》をつけてやるとね、あいつはものの二、三回で覚えた。そっから先が、あいつの凄いところだ。縁日で俺が商売してるところにも金魚の糞のようについてくるんだ。客を前にすればこっちも命懸けだ。物が売れなきゃ飯にありつけない。道ゆく人の足を止める。聞いてる客を買う気にさせる。稽古は生活がかかってない分適当ってことをあいつは知ってるんだ。その日の客の呼吸に合わせて喋りを変える間をあいつは盗むんだ。客前のものを盗む、それが一流ってもんなんだ。喋るってことは、相手と一緒に呼吸するってことなんだ」

紳治郎はその後、思いと現実の差を埋めるため、必死で掃除をした。雑巾で縁側を何度も何度も拭いた。

暗記したことで満足し、自分でネタを書いたことに酔いしれ、肝心の客のことを一切、考えなかった。なんでそんなことに気づけないのか、自意識の過剰さが恐ろしくなった。

　喋る相手のことなど考えていなかった。そんな独りよがりの言葉は届くはずがない。誰かのために喋る、その一点が大きく足りない。その視点に面白さが宿るのだ。


　アナウンサーになって一年、いまだレギュラー番組ゼロ本のまま研修は終わろうとしていた。

「あとは、自分でオリジナルの喋りを見つけろ」

　それが稲垣の最後の言葉だ。

　どうしたらオリジナルが見つかりますか、など野暮なことはもう聞かない。

　稲垣が与えてくれた経験は、レギュラー番組より尊い、喋り手としての基礎を作ってくれた。

　紳治郎は、ありとあらゆる喋りを真似て、自分の身体に叩き込んだ。香具師はもとより、講談、落語、デパートの実演販売、とジャンルを問わず声にした。そのまま真似に留まらず、現代に繋がる言葉を加えた。

　また前にも増してテレビをよく観るようにした。この先、自分が生きていくフィールドはテレビだと腹を括《くく》ると、テレビの面白さ、深さが実感できた。

テレビは制作者によって、面白さが大きく左右されることがわかった。紳治郎が感銘した番組のクレジットに、いつも演出・新海拓馬の名前があった。稲垣と同期のディレクターだ。中でも最近のお気に入りは、『語釈する男たち』という番組だった。国語辞書を編纂《へんさん》する師弟の姿がドラマ仕立てで構成されており、実在した師弟が、バツバツに辞書を編纂する苦悩を追った番組だった。ストーリーテラーは疾川だった。

弟子は、編纂者としての自負があるのに、世の中に出る名前と名声は師匠だけだった。そのことがきっかけで師弟は袂《たもと》を分かち、それぞれの辞書を作り始める。演出に感心したのは、弟子の師匠に対する恩義と復讐の気持ちが語釈に表れているところだった。何万とある語釈の中からよく、それを見つけたものだ。その執念が番組を面白いものにしたのだ。

紳治郎は口から泡を飛ばしながら、稲垣に感想を伝えた。

「二人の語釈の違いを、疾川さんが読み比べると、まるで喧嘩しているようにも、認め合っているようにも聞こえるんですよ」

稲垣は呆れた顔をしながらも、目は笑っていた。

「あの弟子の恩讐は新海そのものだ。テレビマンも、師匠に教わった番組作りの恩義を、復讐するかのごとく、もっと面白い番組を作って返さなきゃいけない。新海はいつもその気持ちを忘れずに番組を作っている」
紳治郎が、首がもげるほど頷くと、稲垣は優しく微笑んだ。

疾川の引退

疾川の引退発表後、マスコミは真相を突き止めようとあらゆる取材を続けたが真相は藪《やぶ》の中だった。ある日を境に、ワイドショーは報道をピタリとやめた。ネットでは、芸能界のある人物から報道は控えよ、と箝口令《かんこうれい》が敷かれたという噂が流れた。

ミステリアスな引退として世間は片付けようとしても、紳治郎は納得することができなかった。新橋にある個人事務所は既に引き払われており、猿楽町《さるがくちょう》にあるマンションを訪ねたが、要人並のセキュリティに阻まれ、潜入することさえできなかった。

担当マネージャーの電話番号を聞き出し、何度か連絡をとったが、それもなしのつぶてだった。

残された可能性としては、ネットで噂されている疾川の引退に箝口令を敷いた人物に頼ることだが、それは一番容易ではない。

あいつを通じてなんとか聞き出すことはできないものか。永野萌香を『クール』に呼び出した。

夜の帳《とばり》が降りた『クール』では出勤前のキャバクラ嬢がスマホを片手にナポリタンやドライカレーを頬張っていた。

奥の席で紳治郎は声を潜め言った。

「おやじさんから、なんとか聞き出せないのか？　永野卓蔵なら絶対に知っているはずだ」

「無理ですよ、父親と仕事の話なんてしたことないし」

「そこをなんとかするのが後輩の役目だろ」

「もう後輩じゃないんで」

永野はアナウンサーを辞め、就活の真っ最中だと言った。

また、時同じくして、日堂テレビは毎日正午からの三時間、『みんなのテレビ』という生放送をスタートさせた。

視聴者から知りたい情報を募り、すぐに取材を敢行し、ディレクターが書いたナレーションを『完パケくん』が編集、翌日には放送するという画期的な番組だ。

制作時間は飛躍的に短くなり、これにより今まで番組にかかった労力が大きく軽減され、予算、労働時間を大幅にカットすることに成功した。

紳治郎を始め、アナウンサーたちも独自のナレーションを読み、他局の情報番組にはないオリジナリティを発揮し、徐々に話題を呼んでいた。

「テレビ局を辞めて、改めて思ったんですよね。テレビはその日その時間にしか観られないメディアだって」

「『みんなのテレビ』だってそのうち飽きられるさ。今は好きな時間に好きなコンテンツを観られる方が主流だしな」

「だからあえてテレビはその日、その時間にしか体験できないことをもっと売りにした方が絶対にいいと思うんです。『ネットフューチャー』に転職して実感したんです」

「は？　就活中じゃなかったのか？」

「プロデューサーとして契約しちゃった」

と舌を出した。

『ネットフューチャー』はアメリカに本社をおく、定額制コンテンツ配信の最大手だ。

今なんつった？　と心で叫び、口を開けたまま黙ってしまった。

瓜坂からメールがあった。

明日、新しいスタッフを紹介させてください。

是非、お待ちしています。

新しいスタッフは、制作局から異動してきた同期の若林大八《だいはち》だった。

「久しぶりだな」

若林は軽く手を挙げ、そう挨拶した。

上下、黒いスーツに身を包み、黒い帽子、黒ぶちメガネと相変らずの出で立ちだ。

若林は、入社してすぐ、ゴールデンの情報番組のアシスタントディレクターとして制作現場に関わり、以来、ドキュメント番組、深夜の科学番組、早朝の子ども番組、ゴールデンのバラエティ番組、朝の情報番組、ドラマ、歌番組、ほとんどの番組に携わってきた。

そして、若林は新海の秘蔵っ子だった。ＡＤが活躍した最後の世代で、アシスタントをしながら、新海の番組作りを学んだ。

勿論《もちろん》、紳治郎は何度も一緒に番組をやったことがあった。最初にやった番組は、深夜の特番だった。

その企画の出演者は紳治郎とあるエンジニアだった。二人は、南米出身の野球選手の故郷に向かわされた。僻地《へきち》を絵に描いたような場所で、そこで暮らす母親に日本で活躍する息子の姿を見せるべく、エンジニアは、現地のスクラップ置き場にある廃材を使い、衛星テレビを制作した。朽ち果てた鍋をパラボラアンテナとして使い、銅線をつなぎ、壊れたテレビを修理し、粒子の荒い映像が映った。そこに日本で活躍する息子の姿があった。

紳治郎の役割は、試合の模様を実況するというものだった。しかも、現地の言葉で。そのため半年前から家庭教師からマンツーマンで言葉を習った。

エンジニアの作った衛星テレビに息子が映り、紳治郎はそれを現地語で実況する。つたない実況ではあったが、日本で懸命に頑張る息子の姿を見て、母親は声を上げて泣いた。

どうすればこの企画を成功させられるか、どこが面白さのポイントかを、一から考え、出演者と緻密な打ち合わせを繰り返し、オンエアまでこぎつけたのは若林だった。

母親の嬉しそうな顔をはるばる日本から撮りに行くテレビって、面白くないか、その言葉で紳治郎はこの番組をやろうと思った。

若林はなにがどう面白いのかをポイント化して言えるディレクターだった。感性で番組を作るには、その感性を言葉にできなくては演出は務まらない。それができるディレクターが若林だった。

そんな人間が今、ＡＩ開発局に来た。

瓜坂はプラットホームに紳治郎を呼んだ。

隣に若林が座り、その周りをトミーたちスタッフが囲んだ。

「どうして若林さんに来ていただいたかわかりますか」

「根っからバラエティ畑の若林がどうして異動してきたのか、わからない」

「若林さんに言われたんです。今までは、会社に長時間いるやつが仕事しているように見え、残業や徹夜が自慢になった。会議は長ければ長いほどいいものができると信じて疑わなかった。紙の資料は多ければ多いほどいい。相変わらずの年功序列。アシスタントディレクターはディレクターの言うことには逆らえない。そんなテレビの慣例を変えたいんだって」

「そんなこと言ったのか……」

若林といえば、以前は誰よりも遅くまで会社に残り、会議も全ての疑問が明確に解決するまで終わらせることはなかった。朝方まで会議が続くのはざら。台本は交響曲のスコアのように緻密で、面白いことのため妥協は許さない。それゆえ、これまでいくつも記憶に残る番組を作ったことは確かだ。

「最適化をはかったから、今度は感性と企画力で勝負するんですよ」

「番組を作るのか？」

瓜坂は少し間を開け、

「『ネットフューチャー』に勝つんです」と言った。

瓜坂は、ランチにでも誘うかのようにあっさり言ってのけた。

「本気で言ってるのか」

「紳治郎さん、是非、力を貸してください」

と深々と頭を下げた。

「あのさ、番組を当てるのはそんな簡単なことじゃないんだぞ」

「最適化の先にあるのは、他のメディアでは作れない番組を作ることです。これまでバラエティを支えてきたお二人が揃えば、理論上は可能なはずです」と力強く言った。どこからくるんだその自信。

『ネットフューチャー』は、「すべてのユーザーの孤独をなくす」と宣言し、ユーザーの好みに徹底的に寄り添い映像コンテンツを届けている。映画やドラマの数が多すぎて、何を見ていいのか迷っているユーザーには、コンピューターを駆使し、そのユーザーの好み、傾向を調べ、ユーザーの関心に合致した作品を勧めるサービスを提供している。今のテレビがこの巨大組織の豊富なコンテンツに勝てるわけがない。

二十四時間いつでも、好みの作品を好きな時間に観ることのできるメディアと、決められた時間帯の中から観るものを選ぶしかないメディアのどっちかを選ぶとしたら、完全に前者だろう。

その夜、渋谷・鶯谷町《うぐいすだにちょう》にあるバーに若林を誘った。

ブレンデッドウィスキーのソーダ割で乾杯した後、紳治郎は口を開いた。

「本気で『ネットフューチャー』に勝つ気なのか」

「座して死を待つより、なんかやらないとテレビは本当に終わる」

「にしても、無謀過ぎるだろ」と大きく二口、ウィスキーを流し込んだ。

「いつ頃からだったか、ゴールデンタイムの番組のタイトルを覚えられなくなったんだ。昔は、すべての曜日の番組をすらすら言えたが、最近は殆ど言えない」

「どの局も、二時間以上の特番編成だ。覚えられないのも当然じゃないのか。そんなに落ち込むなよ」

若林はかぶりをふり、「ショックじゃないことに、ショックだった」とため息をついた。

若林は唐突にある話を始めた。それは、二人が入社二年目の時のロスアンゼルスロケのことだった。紳治郎はアナウンサーとして初めての海外ロケ、若林は新海のアシスタントディレクターとして同行した。二人はヘリコプターに乗せられ、ロス上空を飛んでいると、いきなり無線から新海の声がした。

「今、ハイウェイで、ポリスカーが盗難車を追っている。それを実況しろ」

ヘリコプターは旋回するとハイウェイに向かった。上空からその様子を追った。若林はカメラでその様子を必死で撮影し、紳治郎はヘリコプターから身を乗り出し、盗難車と追跡するポリスカーの一部始終を夢中で実況した。


——白昼堂々、ハイウェイを二台のマシンがひた走る。先行は一九七〇年型マスタング、赤灯を点滅させ追走するのはロス市警のポリスカーであります。これはハリウッド映画ではありません。


カーチェイスは映画さながらの迫力があり、紳治郎の臨場感溢れる描写がそれを引き立てた。

「随分、古い話を持ち出したな」

紳治郎は照れ臭さそうに言うと、「あれがテレビだと思うんだ」と若林が低い声で言った。

「目の前で起きていることをしっかり伝えろ、そうすれば面白さが浮かび上がってくる、そう新海さんに教わった」

喋りの基礎を教えてくれたのが稲垣であれば、新海はテレビを教えてくれた。特に同期の若林は新海のアシスタントディレクターとして演出論を叩き込まれた。

「いいテレビマンになりたければ、視聴者という言葉を一日三十回以上使え。何を視聴者は観たいか？　視聴者はどう思うか？　とにかく会議でもロケでも意識して使え、って言われたよ」

紳治郎は考えた。かつて新海に言われたダメ出しを思い出してみる。

お前の喋りは知識をひけらかしたいだけだ。予習すると勝手に専門家にでもなった気になって、難しい言葉を使い出す。いくら理解しても調べる前の気持ちで喋らないと、今日初めて見る視聴者には届かないぞ。常に視聴者を意識してないと怒られた。

若林は、「準備はできてるか」と言った。

紳治郎はその言葉を理解できずに若林を見つめた。

「俺は、もう一度、視聴者が観たい番組を作ろうと異動してきた。今まで、他局と数字を奪い合って、気がついたら無難な番組ばかり手掛けるようになっていた。予定調和にすがるのはもうやめた。これからは予定不調和でいく。俺はそれに紳治郎を巻き込む。だから準備はできてるかと聞いたんだ」

新しいテレビ作りに打って出たい、という意欲のたぎりが伝わってきた。

今、自分の置かれている立場と言えば、アナウンス部を追われ、『みんなのテレビ』でナレーションを読むことくらいだ。そんな自分を誘う者がいるとは思わなかった。

「スタッフに煙たがれてるんだぞ、俺は」

「わかってる」若林はすんなりそう言うと、「AIが編集を担うようになり、余裕ができたディレクターは、今、必死になって企画を考えている。スタッフをもっと信じろ、自分だけでなんとかしようとするな」

紳治郎は、どこかで観たことのある企画に、何の疑いも持たず、機械のように作り続けているスタッフに苛立《いらだ》ちを抱いていた。

創意工夫のない台本に文句をつけ、なんとか盛り上げようと喋ったが、それは編集でカットされ、無難な番組に仕上げられオンエアされた。

しかし、それは意欲を失《な》くしたのではなく、余裕のない制作体制にあったのだ。

今、AIと人間の感性が融合することで、テレビは新しくなろうとしている。

「予定不調和を言葉にできるよう準備する」

紳治郎はそう言って何度も頷いた。

謡うように語れ

山手線の描写をしていると、恵比寿あたりで電話があった。

「どこにいる？　すぐに来れないか」と若林の性急な声がした。

渋谷駅に着きドアが開くと同時に、紳治郎は転がるように飛び出し、渋谷の街を駆け出した。

若林は汗まみれの紳治郎を一瞥《いちべつ》し、「早かったな」と言って企画書を渡した。

肩で息をしながら、「人体実況？」と表紙に書かれたタイトルを読みあげた。

「若いディレクターが考えた企画だ」

企画書には、映画『インナースペース』がテレビで蘇《よみがえ》る、と書いてある。この映画は一九八七年公開。スティーヴン・スピルバーグが製作総指揮をとった、ミクロ化された人間が体内に入り込んでしまうというSF映画だ。

「企画を考えた菅野《すがの》は、つい最近まで、医学番組のADをやっていた。そうじゃなきゃ出てこない発想だ」

「どうやって撮るんだ？」

「そりゃあ、カメラマンと紳治郎をミクロ化して体内に送り込む」と真顔で言った。

「…………」

「嘘《うそ》だよ」

「わかってるよ」間髪入れずに言う。

「ステント手術って知ってるか？」

「カテーテルを動脈から入れて行う手術だろ。ニュースで見たことがある」

カテーテルは、足の付け根、肘《ひじ》などの動脈から入れる直径二ミリ程度の管のこと。カテーテルを挿入し、その管を通して送り込まれるのがステントと呼ばれるものだ。

「映像はどうする？　ＡＩも素材がなきゃ編集できないだろ」

「生身の人間でやる」

「はっ？」

「生放送で手術をやるんだ」

「そんなこと撮らせてくれる人なんていないのか？」

若林は首を横に振り、「これから探すんだ」とうそぶいた。

そして、企画を考えた菅野が、紳治郎に実況を頼みたいと言っている、と付け加えた。

「どう、やってみるか？」

紳治郎は首がもげるほど頷いた。

菅野の企画書を何度も読み返すと、やり甲斐と共にコンプライアンスという言葉が頭の上を浮遊した。

視聴者は不謹慎だと思わないのか。万が一、失敗した場合どうするのか。編成会議も通過しているのだから、そんなことを心配しなくてもいいのだが……。

企画を考えた菅野はどう考えているのか。

会議で危惧《きぐ》していることを一通り言うと、菅野は企画した意図を語った。数年前から数多《あまた》、行われている手術なので、企画自体は特別なことではない。

医学番組に携わっている頃、日本に出稼ぎに来ている外国人の視聴者がいた。番組を観ては、医療が遅れている故郷に翻訳付きでＶＴＲを送り続けた。その結果、その村の病気が減ったと言う。

「これは、偶然かもしれませんが、その話を聞いて、世界中にいる医学を学びたい人たちにこの番組を観てほしいとこの企画を考えました」

若林、瓜坂、トミーが紳治郎を見た。

「若いディレクターが興味本位でこの企画を出したんだと思っていた、申し訳ない。視野の狭い自分が恥ずかしい……」

紳治郎は山手線を描写しながら、体内をイメージした。

街を縫うように行く電車のように、カテーテルが血管内を巡りながら、途中、様々な臓器を経由して、脳の血栓めがけてひた走る。

菅野が、人体の構造を映像にして何度も説明してくれた。

パソコンの画面に、自動車レースのコース紹介のようなCGが浮かび上がった。

「股の付け根からカテーテルを通して、まずは心臓を目指します。ここまで血管はほぼ真っ直ぐですが、心臓はS字カーブの連続で、ここを通過するのが最難関です。この辺りの難しさを実況で煽っていただけるとありがたいです」

心臓は常に弁が開いたり閉じたり動き続けている。

「心臓を通過すると今度は首部分。心臓より血管が細くなっています。血管を傷つけないよう、しかもスピードが勝負。脳に到達したら、造影剤を血液に流します。途中から真っ白になる部分があります。これが血栓です。ここにステントリトリーバーを送り込んで、血管を開いて血栓を取り除きます」

紳治郎は資料と照らし合わせ、何度もCGを再生し、段取りを叩き込む。

本番はこれが生身の人間となる。想定外のことが起きても対応できるよう、あらゆることを想定した。

朗報が飛び込んだのは三日後だった。

「その手術を撮らせてくれる人が現れたんだよ」

「本当か？」

「徳山紀男《とくやまのりお》が引き受けてくれた」

徳山紀男は元ラジオ局のアナウンサーで、フリーになってから四十年以上第一線で活躍している重鎮だ。

現在、他局の朝の帯番組の司会を務め人気を博している。

「徳さん、毎晩、銀座のクラブで豪遊してるだろ、それが祟《たた》ってか、人間ドックで血栓が見つかったんだ。番組プロデューサーにその話を聞いて、番組にさせてくれって交渉したら、面白いって引き受けてくれたんだ」と子供のような瞳を見せた。

若林は、なんでこの仕事を徳山さんが受けてくれたのかを語った。

「今のテレビは、ＶＴＲをたくさん撮って編集で良いところをオンエアーする。だからスタッフにも演者にも緊張感がない。でも、これは一発勝負だ。そこが面白いと思ったんだって、言われたよ」

本番の三日前、徳山が大学病院に入院をしたことを聞き、紳治郎は病室を訪ねた。

徳山はベッドで雑誌を読んでいた。

光沢のあるシルクのパジャマを着ていたが、顔色は青白く、テレビで見るより老けていた。

紳治郎は丁寧に挨拶をして、手土産を渡した。

「おっ、『空也』の最中《もなか》だね。木箱じゃないのがいい。きみわかってるね」

「桐の箱は木の匂いが付きますので、紙箱でお持ちしました」

若林のアドバイスだった。

「見舞客が、女性たちばかりだったから、丁度、男と話がしたいと思ってたところだったのよ。まあ、女性と言っても銀座のお嬢様だけどね」と艶《つや》のある声で言い、笑みを浮かべた。

「安道くん、キャリアは？」

「十六年目になります」

「僕はね、新人の頃から、深夜ラジオのスターだったよ。レーティングもぶっちぎりトップで、局の前におっかけだっていたんだから。深夜のお耳の恋人、徳山紀男の『エンジョイナイト』、この番組は、北は北海道から南は南極昭和基地まで、全国一万三千ネットでお送りします。なーんてね」

大先輩の名調子は今も健在、香具師の口上を聞いているようで、滑らかで風格があった。

「お体の具合は如何《いかが》でしょうか」

「良くないからここにいるんですよ。早く治せってマネージャーがうるさくってね。といってもケアマネージャーだけどね」

徳山は上機嫌で話し続けた。

半開きになったブラインドの隙間から日が射し、徳山に縞模様の影を作った。加湿器の蒸気を見ながら、

「疾川くんは何をしてるかな」と呟いた。

徳山はおもむろに、ある流鏑馬《やぶさめ》の師範の教えの話をした。

古来より、流鏑馬の技の伝承は、「習っていないことは教えてはならない」を徹底してきた。

自分の経験、鍛錬から学んだ創意工夫を他人に伝えてもそこに成長はない。すべては己の気づきから開眼させよという教えだ。

木馬で基礎を完璧に身につけ、本物の馬を乗りこなし臨機応変を身体で覚えてゆく。経験を重ねた先に人馬一体がある。

無駄のない喋りをするためには、あぶみを巧みに操るように、言葉のサイズ、言い方、タイミング、それらの加減を実践で養う。それを誰にも聞かずに成し遂げたのが疾川だと言った。

「安道くんは『風姿花伝』を知ってるかい」と言った。

「能の教則本みたいなものでしたっけ？」

「もっと奥ゆかしいものだよ。室町時代、世阿弥《ぜあみ》が弟子たちに向けて残した能の極意とでもいうのかな」

「はい」

「秘すれば花なり。観客は予想もしていないものを見ると感動する。あの人は花がある、なんて言い方はここからきてるんだよ」

「はい」

「その世阿弥の『花鏡《かきょう》』の中にこんなのがあってね」

——しかれば、当流に、万能一徳の一句あり。

初心、忘るべからず。

この句、三箇条の口伝あり。

是非の初心、忘るべからず。

時々の初心、忘るべからず。
老後の初心、忘るべからず。

「人生の中にはいくつも初心がある。若い時の初心、人生の時々の初心、そして老後の初心。幾つになってもその初心を忘るべからずと世阿弥が言っているんだ。稚《ち》児《ご》姿が可愛らしい子供時代、やがて声変わりをして苦労する青年時代が来る。二十代真ん中になると、舞も舞えるようになり、周りにちやほやされる。この時、自分は天才なのかもしれないとのぼせ上がる。この時に腕を磨かなければ成長は止まる。そして肉体が老いてこそ見せられる芸がある。老木に残る花を名人と呼ぶ。ヨーロッパの身体芸術には老いるごとに芸が進化するという考えはない。世阿弥のおかげで、能や歌舞伎役者は年を取っても舞台に立っていられるんだ」

アナウンサー界の重鎮が語る言葉に「老木に残る花」を感じた。

「アナウンサーも同じだよ。若いうちにちやほやされても、実力があるからだと過信しちゃいけない。中堅世代になると、自分のスタイルが出来上がってくるが、常にそれを疑わなきゃ。今時の言葉で言うと、コピーアンドペースト。あれに一つだけ進化を加える。どんな些《さ》細《さい》なことでもいいから、それを怠っちゃいけない。あと、スタッフがどんどん年下になるんで、物足りなくなる。その時、小言は言わないこと。腹が立ってもぐっと抑えて喋りを見せつけるんだ。それさえ守っていれば、俺みたいな名人になれるよ」

「はい」

「若い世代がどんどん挑戦しないとテレビはダメになる。だから安道くん、一つ景気良くやってくれよ。人間の体の中を実況するなんて不謹慎だっていう輩《やから》がいるけど、それを黙らせる喋りをすればいいんだ。もし俺が死んだとしても言葉を止めないでくれよ。その代わりお香典弾めよ」

「はい。誠心誠意、努めさせていただきます」


本番の日、ディレクター卓に座り、演出を務めるのは菅野だ。紳治郎は姿見の前に立ち、銀と紺のレジメンタル柄のネクタイをハーフウインザーノットで結んだ。疾川と同じ結び方だ。濃紺の上着に袖を通した。

口角を上下左右に開いたり閉じたり。唇を高速でプルプルと数秒、震わせる。口がうまく回るようにアナウンサーは本番前にこれをする。

ネクタイを少し緩め、ソファーに体を沈め、しばし資料に目を通した後、目を閉じて本番をイメージする。

「まもなくです」とアシスタントディレクターが紳治郎を呼びに来た。

紳治郎は手術室の上の部屋に設けられた実況ブースへと向かった。

実況ブースのガラス窓から手術室を見下ろすと、全身麻酔をした徳山が横たわっていた。

紳治郎は実況席に座り、モニターのチェックをした後、ヘッドセットマイクを装着した。

イヤホン越しに、

「まもなく本番、参ります」と菅野が言った。

イヤホンからタイムキーパーがカウントダウンする声が聞こえてきた。

十秒前、九、八、七、六、五秒前、四、三、……、キュー。

手術室が映し出され、紳治郎が喋り始めた。

画面にゆっくりと、『インナースペース〜体内実況』のタイトルが浮かび上がった。

「コメント、キュー」とイヤホンから菅野の声が聞こえた。

――手術台に横たわるのは、フリーアナウンサー、徳山紀男氏です。

現在、全身麻酔により完全に眠っている状態です。

実は先月、精密検査で脳に血栓らしきものが見つかりました。本日、徳山氏、ご本人に快諾していただき、今から行われる手術の模様をお届けします。

今回の番組の目的はより医学、そして人間の体の中への理解を深めていただくことです。人体の中を知ること、病気の正体を知ることが予防への第一歩になるのではと確信して番組をお届けします。

――今回の手術は脳内の血管にある血栓を取り除くものです。かつては脳にメスを入れ行ってきましたが、今は血管の中に入り込み手術するという、まさに『ミクロの決死圏』の世界なのです。

「手術器具インサート」と菅野の声がした。

――こちらが血栓をからめとる魔法の道具、ステントリトリーバーであります。材質はステンレススチール、網目状になっている部分で血の塊《かたまり》、血栓をからめとるのであります。そして、こちらがカテーテルだ。この細く柔らかい管がこれから太ももの付け根から脳までを旅し、血栓までの道をたどる重要な器具なのです。

――今回、手術を担当しますのは手塚滋之《てづかしげゆき》教授。

ステント手術の権威、まさに神の手を持つスーパードクターと言いたいところですが、手塚教授の座右の銘は、十六世紀、フランスの外科医、近代外科の創始者と言われるアンブロワーズ・パレの言葉、「われ包帯し、神これを癒《いや》したまう」であります。

病気が治るということは、患者に備わる自然治癒力のおかげであり、医者はその手伝いをするに過ぎない。そう言った意味では、神の手を持つというよりは、神の心を持つドクターなのであります。

「手塚先生紹介VTR降りまで、三、二、一、はいVTR降りた」とタイムキーパーの時間読みぴったりで紳治郎はコメントを終えた。

モニターは手術室に切り替わり、今まさに手塚教授が手術を始めようとしていた。

――さあ、いよいよ手術が始まります。

太ももの付け根部分に、まずは専用の針を刺し血管とのパイプをつなぎます。

すーっと入りました。さあ、そこにカテーテルが挿入された。

手際とスピード、そして冷静な判断が必要とされる、まさに緻密な人体という宇宙の旅路が始まりました。


――この部分の血管は直径三ミリ、細い中で行う作業であります。

血管の壁はソーセージの皮くらいの強度しかないので傷つけないように一秒でも早くいかなければならない。

今、心臓まで到達しました。さあここから難所が待ち受けているぞ。

心臓のS字カーブです。右心房右心室、左心房左心室とめくるめく命の循環がここで行われています。

脈を打つ横をうまく通り抜けることができるのか。

お見事、心臓S字カーブ通過です。

この熟練された手さばきは手塚教授の日々の訓練の賜物《たまもの》。右利きなのになんと左手で箸を持ち、手先の細かい感覚を養っているそうです。

――今、脳にカテーテルがたどり着きました。

紳治郎は一瞬、ストップウォッチに目をやり、

――到達までの時間は八分十五秒であります。さあ、ここから血栓がどこにあるのか、正確な場所を突き止めなければなりません。

ここで造影剤が投入されます。造影剤とは画像診察には欠かせない液体。血液の流れが滞っている箇所が血栓のある場所なのです。まさに漆黒のサーキットに照明が照らされたようであります。

――おっと、ありました。血栓の場所を突き止めた。さあ、ここからいよいよステントを挿入して、この血栓をからめとる作業が始まるぞ。早い、早い、カテーテルを通って、一気にステントが血栓の場所まで駆け抜けた。

——先が網状になったステントが血栓の中に入って行った。血栓よ、うまくからみついてくれ！

ゆっくりと慎重にステントを今度は引きます。血栓が動いた。してやったり、なんとか上手くからみついたようです。しかし、ここからも山場が続くぞ。力が入り過ぎて血栓が崩れてしまうと、再び血栓は血管を流れ、またどこかで詰まってしまうかもしれません。そうなれば宇宙で軌道から外れて漂う衛星のようになってしまいます。

ここは慎重に慎重を重ねています。

——ステントにからみついた血栓が無事、除去されたようです。

本当に血栓は取れたのか。最後の最後に再び造影剤を流し、血管をスムーズに流れれば、手術は成功したということになります。

果たしてどうなのか？

緊張の一瞬です。造影剤が投入された。

そして？　そして？

見事、流れました。血栓はなくなった、

手術成功です！

実況ブース内に拍手が沸き起こった。紳治郎は手術室の手塚教授と目があった。微笑んだように見えた。やりきった。

「お疲れ様です」と菅野の声が聞こえた。

気がついたら汗でワイシャツが濡れていた。控え室に戻ると若林、瓜坂、トミー、菅野がやってきた。

「よくやった」と若林が言った。

紳治郎はペットボトルの水を飲み干した。

喋る男

『インナースペース〜体内実況〜』をYouTubeにアップしたところ、世界各地で再生された。ネット用語の「バズる」という現象を紳治郎は初めて体験した。

そして、なによりの収穫はAI開発局に大きな絆《きずな》が生まれたことだった。日堂テレビ、アンドリュー、ベテラン、新人という垣根は一切なくなり、面白いことを真ん中に置いて会話を重ね、皆、積極的に企画を出し合った。

瓜坂はAI開発局の会議で、二〇二一年秋に向け、新たな方針を打ち出した。それは、ゴールデンタイムを全て生放送にすることだった。

「視聴者の皆様に、その日、その時間でしか観られないコンテンツをお届けします。お芝居やライブのように、ある一定期間、同じ時間帯に、同じコンテンツを数日間にわたり生放送します。評判が良ければ、ブロードウェイのようにロングランで放送を続けます。日堂テレビが生き残るには、多様性のある番組を作るしかないと思います」

瓜坂はいつになく力強く言った。

今、メディアを席巻しつつある月額配信型メディアは、観たい作品を観たい時に観られるよさがあるが、生放送のワクワクや臨場感にかける。子供の頃、放送に間に合うように駅から猛ダッシュで帰ったことを思い出した。

「実は買収の話が持ち上がった時、新海社長からある構想をお聞きしました。その構想を検討した結果、今回の買収に踏み切ったそうです」

新海は何を言ったんだ？　紳治郎は身を乗り出した。

「新海社長の構想は、テレビの中に『街頭テレビ』を作るということです」

『街頭テレビ』という単語に、若いスタッフはきょとんとした顔をしている。

トミーがパソコンを読みあげた。

「これだ、新橋駅の広場に二七インチのテレビが……、えっ、二台？」と読みながら驚き、「そこに一万二千人が集まってテレビを観たとあります。みんなで何を観たんですかね」

「街頭テレビでプロレスを観たんだ。老若男女問わず国民の誰もが熱狂した」と紳治郎が口を開いた。

「でも、人が多すぎですよね。どうやって映像観たんですか」

「映像が観えなくても、みんな実況を聞いて力道山の活躍に酔いしれたんだ」と紳治郎は見てきたかのように説明し、実況をやってみせた。

――力道山・木村政彦対シャープ兄弟。世紀の一戦の開始であります。力道山、大きくすくい投げ、さらに抱え投げ、そして空手チョップ炸裂、猛攻であります。

当時、テレビは会社員の年収数年分に相当する高級品で、テレビそのものを一目観ようと街頭テレビの前には群衆が集まった。

力道山はテレビという新しいメディアを利用した。空手チョップという必殺技を考案し、それをアナウンサーに連呼させ、街頭テレビの群衆を魅了した。そこからテレビの時代が始まる。そこから歌やドラマなど様々な番組が流れ、いつしか夢の箱と呼ばれるようになった。

「テレビの中に街頭テレビを作るってどういうことだ？」紳治郎がそう言うと、瓜坂は、「アバターになればテレビの中に入り込めます」。

トミーがパソコンを開き、アバターを紳治郎に見せてくれた。

「ネットの中にいる自分の化身みたいなものです」

テレビの中の世界が仮想現実となり、そこに視聴者が入り込むのだと言った。

瓜坂が街頭テレビの仕組みをホワイトボードに書いた。

視聴者は特別なモデムによって日堂テレビと直接接続し、自宅からテレビの中に入り込み、ゴーグルをつけ、アバターとなって街頭テレビに参加できるという。そして、他の場所からアクセスした視聴者とテレビの中で出会うことができるという。

「新海社長は、システム、技術力の面をアンドリューと組むことで、この構想を実現しようとしたんです。このタイミングで発表できたのは、『みんなのテレビ』が思った以上に早く軌道に乗ったおかげです」

説明を聞いてなんとなくはわかったが、どんなものなのか実感がわかない。

トミーがどこかからゴーグルを調達してきた。これを装着すれば仮想現実、バーチャルリアリティを体験できるという。

紳治郎がゴーグルをつけると、目の前に、別世界が現れた。これが仮想現実か。ゴーグルをつけたまま仮想現実を歩いてみる。

「今から、他のアバターにアクセスしますね」

とトミーの声がした。ゴーグルにデータを読み込むマークが表示された後、見知らぬアバターたちが現れた。

それぞれ自由に動き回ったりしている。

紳治郎の次に、若林も体験をした。いつになくはしゃいでいる。飛び跳ねたり、行ったり来たりを繰り返した。

手を上下に振る仕草を見せ、「他のアバターと握手した」と興奮して言った。

「外に出られない人も街頭テレビに参加することができるんです」と瓜坂が言った。

かつて街頭テレビを観ようと新橋駅の広場に集まった観衆をテレビの中で実現できる。そして、アバターの身を借りれば、引きこもりや、寝たきりの人も参加できるという。

「これだ。これが多様性だ」

そう言ったのは瓜坂ではなく、紳治郎だった。

テレビの中に街頭テレビを作るには、技術的問題も山積している。同時接続の問題だ。一度に多くの人が集まるには、それなりの設備がなければならない。

そして一番の問題は、かつての街頭テレビに集まった時のような、多様性に富んだ企画を考えることだった。

トミーをはじめアンドリューのスタッフは、大勢の人数が同時に接続できるシステムを作ることになり、企画は若林を中心に、ディレクターたちが集められ考えることになった。

アバターアイドルのライブに、アバターで参加したり、ハロウィン期間、アバターで仮装する企画などはもうすでにある。

今回考えたいのは誰もが参加したくなる多様性に富んだ企画だ。

ネットフューチャーに転職した永野と久しぶりに会った。永野は、紳治郎が『インナースペース～体内実況～』でアナウンサーとして復帰したことを自分のことのように喜んでいた。

「うちじゃできない企画なんだよな、生放送の醍醐味ありましたもんね」とコーヒーをすすった。

転職先のことをもう「うち」と言う永野の順応性には驚く。

「そっちはどうなんだ」

「企画のスケールがデカすぎで、毎日、夢見てるみたいです。なっんでもかんでも世界に向けて独占配信ですからね」

「それ自慢？」

「自慢です」とあっさり言い、「私も早くスマッシュヒット出さないと〜」と余裕とやる気を見せた。

「ところで、秋から生放送始めるって本当ですか？」

「いや、知らない……」と誤魔化した。

「安心してください。古巣を売るような真似は絶対しませんから」

永野はネットフューチャーの人間だ、うかつなことを言うわけにはいかない、と思うが、本当は喋りたい。

「ゴールデンタイムの枠を一つの劇場と考え、芝居やライブと同じように、ある程度の期間、興行を打ち続けるんだ。観客はアバターとして参加するので、世界中のどこからでもアクセスできる。すごいだろ」と心の中で語ってみた。

「疾川さんのことで、先輩のお耳に入れておこうと思ったことがあって」

心の中の声が止まった。

「消息がつかめたのか？」

永野はかぶりを振り、「実は、ネットフューチャーに出演が決まりかけていたのに、引退の少し前に突然、白紙になったんです。担当者もそう簡単には諦めきれなくて、理由を調べたら……」

「疾川さんに、何があったんだ？」

「入院されているらしいんです」

「どこか悪いのか？」

永野によると、入院という話も定かではないという。担当者が疾川のマネージャーに会った時にそう言われたという。

「最初は、企画を断るための体《てい》のいい理由だと思っていたんですが、あの後、引退発表があったし」

「病名くらい、わからないのか？」

「本当にこれ以上はわかってないんです。これ絶対に誰にも言わないでくださいね。うちでもトップシークレットなんで」

「わかった。ありがとう……」

数日後、若林から企画を思いついたと一斉メールがあった。

すぐ『マザー』に、紳治郎、瓜坂、トミーが集まった。

若林は唐突に、数年前、スペインの美術館で見た意外な光景の話をした。

若林が作品を鑑賞していると、前から犬連れの男が歩いてきた。

美術館で愛犬と散歩？

あまりのことに呆気《あっけ》にとられ立ち止まった。

男の常識を疑ったが、すれ違いざまに気がついた。

男は視覚障害者で、犬は盲導犬だったのだ。

目の不自由な人はどうやって作品を鑑賞するのだろう。気になり後をついていくと、その男はオブジェの前で立ち止まった。そして次の瞬間、触り始めた。

両手で慈しむようにオブジェの細部に触れた。時折、頷いたり、微笑みを浮かべる姿は会話をしているようだったという。

「目の不自由な人でも作品に触れられて、家から出られない人も作品を鑑賞できる美術館を仮想現実で作りたいんだ」

ルーブル美術館に行かなくても、大英博物館に行かなくても、仮想現実の美術館に行けば、世界の名作に出会えると構想を語った。

「技術的には可能なのか」と紳治郎が聞くと、「リアルな作品の感触となると、かなり大変ですが、技術的には可能です」とトミーが言った。

「過去に上野の美術館で行われた伊藤若冲《じゃくちゅう》展は約四十五万人動員しましたし、世界的にも美術ブームはきてると思います」と瓜坂が食いついてきた。

若林はホワイトボードに絵を描いた。

美術館にいくつもの絵やオブジェが飾られている。

「バーチャルだから、彫刻も仏像もなんだって展示できる。わざわざ複数の美術館に行かなくてもいいんだ」

視聴者は、テレビの中に入り込み参加者となり、バーチャル美術館で作品に触れることができる。

「視聴者は何を楽しめばいいんだ？　作品に触れた者は満足だろうけど」

紳治郎がそう言うと、若林はニヤリと笑い、

「アバターの中に学芸員がいて、観客に作品を面白く解説するんだ。街頭テレビの実況アナウンサーみたいに」

「絶対にやりましょう」

瓜坂が太鼓判を押す音が聞こえた気がする。

「絵画を動画のように動かしたいんだが、可能か？」と若林が聞くとトミーは、

「この雰囲気じゃ、可能にするしかないじゃないですか」と両手を広げ首を傾げた。

「よし」と若林は目を輝かせ、「ドラクロワの『民衆を導く自由の女神』の絵が動

き出すと、観客はフランス革命を体験できる」と興奮しながら言った。

「紳治郎さん、最高の描写をお願いします」と瓜坂。

「それ絶対、観たい！」とトミー。

「こういうことのために異動してきたんでしょ、俺たちは」と若林。

紳治郎は拳《こぶし》をグッと握りしめた。そうしないと身体の震えが皆んなにバレてしまうからだ。

これを実現するにはこの先、様々な試行錯誤が予想される。同時接続できるアバターはどれくらいなのか？　作品に触れた時、感触をどれくらいリアルにできるのか、絵画を動かすにはどんな技術が必要なのか、そしてそれらを紳治郎はどんな言葉にするのか。問題は山積している。

新しいテレビへの挑戦は、これまでの番組の作り方も大きく変えようとしていた。

このプロジェクトは『バーチャルミュージアム』と名付けられた。

統括プロデューサーは瓜坂、総合演出は若林、そして技術チーフはトミーになった。若林は、制作局からディレクターを集め制作チームを作った。チーム内で会議を重ね、美術館の中身、どんな作品を展示するかを決めていった。決まったものをトミー率いる技術チームに伝えられ、プログラム化されていった。

オンエアを、秋の改編時期になんとしても間に合わせたい。

紳治郎も準備に取り掛かった。

美術書を読み、学芸員に取材し、美術館にも通った。

美術館では鑑賞客の様子も注意深く観察した。

彼らは作品の前で立ち止まると、絵画を見つめ、正面から少し横にずれたり、身を乗り出し覗《のぞ》き込んだり、自分がカメラのレンズのようにそれぞれのアングルから鑑賞していた。

映画やテレビがなかった時代、絵画や彫刻は物語を雄弁に語るメディアだった。作者が語ろうとしていることを紳治郎が言葉にする。作品と鑑賞者の間をとりもつ言葉とはなんなのか。

時代背景や、画家のプロフィールを解説する音声ガイドは既にある。そうじゃないものを言葉にするのだ。

一万年以上も前に作られた土偶がある。豊満な胸や腰を強調した女性表現は何を物語っているのか。

金剛力士像の肉体の力強さ、美しさ、睨みつける眼光の先に何があるのか。その時代の喜び、悲しみ、不安、目に見えないものを紳治郎は言葉にしようとした。作品の魅力に引きずり込まれ、それを体験できなければ、この美術館は成功しない。

こんな時、疾川なら、あまたある語彙から的確な言葉を選び、それを紡ぎ、鑑賞者を唸らせるだろう。

機械などない頃に作られた遺跡が、超絶技巧の造形を作り出すまでの芸術の系譜、作者の情熱、生き方、センス、喜怒哀楽を言葉にして語り尽くすに違いない。鑑賞者の畏敬《いけい》の念、祈りまでをも言葉にするだろう。そこに辿り着かなければ意味がない。

社員食堂で遅い昼食を取っていると、トレイを持ったトミーが座った。

トミーは担々麺にラー油をかけながら、

「若林さんから毎日、プランが送られてくるんで、めっちゃ忙しくなりましたよ。でも、驚いたのは、昔はこの十倍働いてたって……、テレビって超ブラックだったんですね」と言った。

「若林さんといると、昔のバラエティ番組の話が聞けて、楽しいんですよ」

当時のバラエティ番組といえば、どの番組も個性があり、似たような企画は即、淘汰《とうた》された。

視聴者側も、大好きなアーティストに血気盛んな野次を飛ばすような、愛情と緊張感を持っていた。

そして、番組と視聴者は、一緒に面白さを共有しようという共犯関係で成り立っていた。

「紳治郎さんがどんな描写をするのか、超楽しみなんです」

トミーの期待が丸ごと身体の中に飛び込こんでくるのがわかった。

これに応えなければ、今度こそトミーはテレビを見限るのではないかと思った。

「同時接続の件なんですけど」とトミーが技術に関して話を始めた。

「多数のセンサーから得た情報をサーバーに大量に投げて、一気に送り返す機能を開発できそうなんです、これって、多くのアバターが同期するのに最適じゃないかと」

一切理解できなかったが、トミーの目を見ていると、きっと一度に多くの人々が仮想現実を体験できるシステムを作り上げるに違いないと思った。

「知ってました、若林さんの夢？」とトミーは担々麺をすすり「紳治郎さんと疾川さんを共演させる時、演出をすることなんですって」と言った。

紳治郎は若林のために最高の喋りをしようと思った。

若林から、紳治郎のアバターができたと連絡が来た。

『マザー』に行くと、若林とディレクターたちはまだ会議の最中だった。中にはかつて一緒に番組を作ってきたスタッフもいた。彼らは連日会議を重ね、『バーチャルミュージアム』の世界観を作り上げてきた。

それぞれから、何かを作り出そうとする情熱のようなものを感じた。それはどうすれば視聴率が取れるかというテクニック的なものではなく、面白くなければ意味がないという気概だった。

紳治郎はテーブルの端に座り、その風景を眺めていた。

会議が一段落したところで、若林はこれまでの成果を紳治郎に見せた。

スタッフの一人が紳治郎にゴーグルを装着し、

「今から、『バーチャルミュージアム』にご案内します」と声をかけた。

少し経って、紳治郎の目の前に、番組タイトルが出た。タイトルが消え、一旦、黒味になり、それが明けると、砂漠が浮かび上がった。

今自分はポツンと一人、砂漠の大地に立っていた。

「自分の身体を見てください。それが紳治郎さんのアバターです」

その容貌は、全身が灰色で、細長く、手足が長い、人の姿をした彫像だった。

「なんか、出来損ないの彫刻みたいだな」

若林は自信満々で、「はかなさを実感しながら、それでも一歩を踏み出し、新しいテレビを牽引《けんいん》する、『喋る男』です」と言った。

晴天だった青空に雲が流れ、暗雲が立ち込めた。そして、稲妻が光ると、そこに燦然《さんぜん》と美術館が現れた。

　紳治郎が見上げた。

　外観は、東大寺の大仏殿を模した荘厳な面構えだった。

　朱色の大門がゆっくりと開くと、その先は館内へと続いていた。

　紳治郎はゆっくりと館内へ入っていった。

　館内の天井は高く、奥行きのある空間が広がった。床は艶やかな白と黒のパターンの大理石、いくつかの部屋で仕切られている。

　奥の方からアバターが現れた。よく見ると、顔はインコで首から下はタキシード姿だった。

「誰か来たぞ」と紳治郎は言った。

「俺だよ」その声は若林だった。

　若林がアバターになり画面へと入ってきたのだ。

「今から作品を見せる」と若林が言うと、様々な作品が浮かびあがった。

「展示品は三十作品。選《え》りすぐりのものを再現した」と若林が言うと、次々と作品が浮かびあがった。

　展示される作品は、世界各国の有名美術館にあるものばかりだった。

「本番では、絵画は映画のワンシーンのように動いたり、彫刻に触れることができる」

「すごい。本物の美術館にいる感じがする」

「他のアバターも見せてくれ」

若林がそういうと、奥の扉が開き、そこから何体ものアバターが現れた。カラフルな洋服を纏《まと》ったアニメ少女もいれば、鎧兜《よろいかぶと》に身を包んだ武将、全身が毛だらけの獣、全身がゴールドメタルで覆われたロボットなど、キャラクターに富んだ者ばかりだった。

喋る男の周りをアバターが囲み、顔がインコのアバターが、それぞれを紹介した。キャラクターに富んだアバターをデザインしここまで作りあげたのは、かつて紳治郎と一緒に番組を作ってきたスタッフたちだった。

「あの頃は、紳治郎さんにむちゃくちゃ叱られましたけど、また仕事ができて嬉しいです」とアバターが言った。

そんな言葉が返ってくるとは思わなかった。スタッフに嫌われていると思っていた。当時は、彼らの努力よりも、面白いかどうかを優先し、労《ねぎら》うことより、ダメ出し、小言ばかりを並べてきたからだ。

喋る男は、アバター一体一体と握手しながら、「これからよろしく」と言葉をかけた。

定例社長会見で、新海は秋の改編の目玉として、『バーチャルミュージアム』を二週間連続で放送すると発表した。

テレビの中に視聴者が入り、美術鑑賞が体験できる、という前代未聞の企画はすぐに話題を呼んだ。

『バーチャルミュージアム』を宣伝するスポットCMも完成した。壮大な映画の予告編を思わせるようなセンスのいいVTRを作成したのは、入社二年目のアシスタントディレクターだった。学生時代、ユーチューバーをしていたという。

新しい感性が、テレビに息吹き始めたのだ。

消息不明アナウンサー

スマホが震えた。メールだ。

画面を思わず凝視した。差出人が毎朝テレビ、宮川だったからだ。

アナウンス研究会時代も含め、メールが来たのは初めてだ。

時候の挨拶の後、一度、会って報告したいことがある、とあった。今や毎朝テレビを代表するアナウンサーが何の用なのか。

苦手な存在でしかなかったが、かつての旧友に会ってみたいと思った。

返信メールで、要件を聞いてみたが、会ってから話すとあり、場所と時間が添えられていた。

指定された店は、会員制の和食ダイニングで、全てが個室になっていた。名前を告げると、店長らしき男性が現れ、二階にある『桔梗』と書かれた個室に案内された。

宮川は既にいた。

「よう！」と明るく声をかけた。

宮川は立ち上がり、

「しばらく、元気だったか」と両手を添え、握った手を何度も振った。

本当にあの嫌味な宮川かと見紛うくらいの再会だった。

店員が焼酎ボトルとセットを運んできた。

「お湯割でいいか？」

宮川はグラスを目の当たりで持ち、慎重に焼酎を注いだ。マドラーで混ぜながらお湯を注いだ。

宮川にお酒を作ってもらえる日が来るとは思わなかった。

「久しぶりの再会に乾杯」と声を弾ませグラスをかかげた。

細胞が一新され、別人になったかのようだ。

宮川はグラスをすすり、お湯割の旨さを「うぃーっ」という擬音で表現した後、「最近テレビで見ないけど、アナウンサーやめたのか?」と一番聞かれたくないことを聞かれた。

急に学生時代の宮川に見えてきた。

紳治郎は質問には答えず、宮川の近況の聞き手に回った。

宮川が司会を務める昼の情報番組はもう五年になる。黒板ほどの大きなパネルをめくり、ニュースを解説する『教えて宮川アナ』というコーナーが人気だ。

「あのコーナーは、小学五年生にもわかるようにやってるんだ」とグラスの梅干しを箸《はし》でつつきながら言った。

ニュースを担当すると、小難しいニュース用語を使ってしまう。ある時、「あなたが使っている言葉って、意味をわかって喋っているの?」と妻に言われたという。それで気づいた自分は言葉の意味もわからず、賢くみられようとしてニュース用語を駆使していたのかもしれないと。

それから、まず自分が意味を理解し、それを小学五年生にもわかるよう嚙み砕き、喋るようにしたところ、子供だけではなく、ニュースに興味のなかった五十代以上の女性たちが視聴するようになったという。

紳治郎は『バーチャルミュージアム』の話をしてみた。視聴者がアバターとなってテレビの中に街頭テレビを作ると言ったところで、宮川の目つきが変わった。一通り聞いた後、「それは凄いな。そうやって変わっていかないとな。世帯視聴率がメインの時代はもう終わる。情報番組も、視聴率をとれるネタばかりやるんじゃなくて、これからは個性的なものにしていかないと、生き残れないからな」

真摯にいい番組を追求しようとする宮川に好感が持てた。

「でも、芸術作品を言葉にするのは至難の業だろ。音声ガイドみたいのじゃ、つまらないし」

宮川は喋り手として、紳治郎の役割の難しさを言い当てた。

「暗中模索してるところだ……」

紳治郎はグラスを見つめながら言った。

「一度、疾川さんが歌川広重の東海道五十三次を言葉にしたのを見たことがある」

「そんな話、聞いたことないぞ」

身を乗り出し宮川を見た。

「どこで？」

「疾川さんの行きつけの飲み屋でだ」

「え、あの店に行ったのか？」

宮川は自慢げに頷いた。店は四谷にある『ホワイトレインボウ』という有名人が集うスナックだ。

「特番の打ち上げで連れていってもらったんだ」

紳治郎は新人時代、店の前まで行ったことがあった。中に疾川がいると思うと急に足がすくんで、そのまま引き返したという思い出がある。

こっちは一度も会ったことがないのに、宮川は飲みにまで行っていた。

「食いついてきたな」と薄い笑いを浮かべた。

「詳しく教えろ」

宮川はお湯割で口を湿らし語り出した。

「居合わせた客に浮世絵のコレクターがいて、東海道五十三次の保永堂版を広げたんだ」

「それで」

「疾川さんは最初手にとって眺めていたが、いきなり描写を始めたんだ。みんな、紙芝居屋に群がる子供みたいに夢中で聞いていた」

おごそかな大名行列、難儀な川越え、旅人を旅籠《はたご》に連れ込もうと取り合いする客引きの女たち、人々の仕草や表情を面白おかしく語ったという。

また雨や雪、風、千変万化する自然の姿を巧みに織り込みながら、俄雨に駆け出す人々の姿、竹やぶにあたる雨の音を言葉にすると、匂いまで感じ取れたという。

「不思議なもので、疾川さんが語るとアニメのように絵が動いて見えるんだ」

「なんで絵が動いたんだ。だって、普通の浮世絵だろ」

宮川はもったいぶるように「ここから先は、俺にだけ教えてくれたんだ」と不気味に口角を上げ、

「喋りは、絵より出しゃばっちゃいけない。説明するのではなく、時間経過を描写すると絵が動いて見えるんだ」と疾川の口調を真似て言った。

先を急ぐ飛脚、客がいなくて肩を落として歩く駕籠《かご》かき。

富士山を見て驚く旅人、富士山を見向きもしない地元の人。

描かれている人間やものの、その先を言葉にしたという。

「雪景色に描かれた旅人の傘に積もった雪の量の違いを描写することで、行き交う人が旅をしているように見えてくるんだ」

話を聞くだけで、情景が浮かんだ。

「贅沢《ぜいたく》な夜だった」

宮川は贅沢なフルコースを食した後のような顔を見せた。

宮川の話したいこととは、このことだったのか。

それにしてもいいことを聞いた。

絵を説明しない。絵より出しゃばらない。時間経過を言葉にすると絵が動いて見える。

思い悩んでいたことを宮川が言葉にしてくれた。

それにしても疾川はすごい。酒席の余興でそれをやってのけるのだから。すぐにでも帰って、『バーチャルミュージアム』の言葉を練り直したいと思っていると、宮川がこちらを凝視している。

「そろそろ、本題に移っていいか」

まだ自慢したいことがあるのか？

「実は、今日伝えたかったことは……」

宮川は人気《ひとけ》のないことを確認して言った。

「疾川さんを見かけたんだ」

「今、なんて言った？」思わず聞き返した。

息が止まりそうになった。

引退表明以来、各マスコミがこぞって疾川の消息を追ったが、何の情報も摑むことができなかった。芸能界の影のドン、永野卓蔵から消息を追うなと箝口令が敷かれ、引退した理由もわからないまま三年が過ぎようとしていた。

「病院の取材をした時、偶然、見かけたんだ」

「確かなのか」

身を乗り出して聞いた。

「車椅子に乗っていた」

「入院してるのか、なんで車椅子なんだ」

「落ち着け」

そんなこと聞いて落ち着けるか、ありったけの情報を教えろと言いよる。

看護師に車椅子を押された男は、ニット帽を深々とかぶっていた。

「本当に本人なのか？」

「俺だって疾川順太郎に憧れてアナウンサーになったんだ。すぐにわかった」

「じゃあ、なんで声をかけなかったんだよ」

その後、エレベーターに乗ったところで、見失ってしまったと言った。

「病院中、探したが、もうどこにもいなかったんだ」

「その病院はどこにあるんだ」

宮川は待っていたかのようにメモを差し出した。

そこには、千葉にある病院名が書いてあった。

いてもたってもいられず、翌日、千葉行きの電車に乗っていた。

電車の揺れが、あの夜の記憶を蘇らせた。

スナックから引き返したあの夜のことだ。

疾川は常連客たちを前に軽快に喋っていた。紳治郎は格子窓からもれる声に耳をそばだてた。初めは必死で聞いていたが、次第に自分はまだ疾川に会ってはいけない人間に思えてきた。急に怖くなり、その場から離れてしまった。

紳治郎は病院を見上げ、もう引き返したりはしないと心に誓った。

疾川が乗ったエレベーターは別館だと言う。紳治郎は各階にある病室を見て回ったが、すぐには見つからなかった。

最上階にＶＩＰが入院する特別病棟がある。そこのナース室で聞いてみることにした。

看護師は、顔を見て紳治郎が何者かわかったようで、笑顔を見せた。

しかし、返ってきた答えは、疾川という患者は存在しないとのことだった。

それでも引き下がらず、特別病棟全ての病室を見て回ったが、疾川はいなかった。

駅に続く道は雲が低く、湿った風が頬を撫でた。

宮川は見間違えたのか。いや、紳治郎が看護師に、疾川の名前を出した時、顔色が一瞬、変わったのを見逃さなかった。

もう一度、引き返して探そうと思った時、スマホが震えた。

トミーからだった。

「何してるんですか、紳治郎さん待ちですよ」

午後から、『バーチャルミュージアム』のリハーサルがあったことを忘れていた。病院を振り返るが、駅に向かって走り出すしかなかった。

リハーサルに合流できたのは、二時間後だった。

汗だくでスタジオに飛びこむ。張り詰めた空気の中を、ディレクターから、アシスタントディレクターに至るまで、生き生きと動いている。

かつて一緒の番組を担当したディレクターたちが別人のように何かを成し遂げようとしている。

紳治郎はゴーグルをつけ、『喋る男』となり、バーチャルの世界にログインした。

目の前に、『鳥獣人物戯画』が現れた。平安後期から鎌倉前期にかけて制作され全部で四巻からなる絵巻物だ。

疾川の教え通り、絵を説明せず、絵より出しゃばらず、時間経過を言葉にすると絵が動いて見える。

「人間のような動作をした鳥獣たち、まさに日本の漫画の元祖であります。この礎《いしずえ》がやがて漫画、アニメというクールジャパンを作り上げてゆきました。今、私の目の前では、うさぎとかえるが相撲の大一番をとっています」

と言ったところで、いきなり絵が動き出し、かえるがうさぎを投げ飛ばした。ねこ、きつね、さるも動き出した。まるで生きているかのように戯れている。

紳治郎は、呆気にとられこの光景を見ていた。

「驚いたでしょ」

若林が言った。

あるディレクターが、面白いコンテを描いてきたので、それを動かそうということになった。トミーが突貫工事でプログラムを作り上げたという。面白いと思ったことを即実行に移すノリがこのチームに出てきた。

とはいえ、動き出す作品を描写するのは予想以上に大変だった。

動く絵巻を言葉で追うが、まだ面白味が出ない。

月並みな描写では、この素晴らしさは伝わらない。

これを考えたディレクターに申し訳ない。

かつて紳治郎がダメ出しばかりしていたディレクターたちが、今は水を得た魚のように活躍している。

今ディレクターは、自分が面白いと思うことを信じて、そこに向かって突っ走っている。

それを言葉で支えるのがアナウンサーの仕事だ。

紳治郎とディレクターたちは何度も会話を重ねリハーサルを続けた。

かつて疾川がシーザー暗殺を語った番組をもう一度見直した。

何度もVTRを見返すうちに落ち込んでしまった。疾川の喋りが、まるでその場にいたかのような臨場感があり、完璧に時代に溶け込んでいたからだ。

ここまでになるには、何をどうすればいいんだ。

リモコンで頭を叩き、頭皮を刺激してみると、あることを思いついた。

そうだ、あの人に聞いてみよう。

紳治郎は、新海にアポを取った。

社長室からは、いたるところが開発中の渋谷が見えた。

移りゆく街並み、変わりゆく渋谷を、疾川だったらどんな言葉で描写するのだろうか。

「あの企画は疾川さんが言い出したんだ」

シーザー暗殺の一部始終を描写したいと自ら企画を持ち込んできたという。

新海は、歴史学者、ドラマ監督、脚本家を集め、緻密な台本を作成した。

「台本を疾川さんは一切見なかったんだ」

そう言ってきたのは疾川の方だったという。

「すべてが予定調和になるからだって、言われたよ」

とはいえ、シーザーの人生、暗殺に加わった者たちのプロフィールを徹底的に調べ上げ、頭に叩き込んだという。

「そうやってローマ時代の住人になっていくんだ」

去り際、疾川の話をしてみた。

病院を訪ねたが、消息をつかめなかったと話した。

新海は黙って聞いていた。

「どう思います？　俺は病院ぐるみで何か隠している気がしてならないんですよ」

「どうだろうな、他人の空似じゃないのか」

まるで興味のない顔をしている。

「え、そんな感じですか。新海さんは心配じゃないんですか」

「今は『バーチャルミュージアム』のことに集中しろ」

「わかってますよ。でも……」

新海は引き出しから小さなブロンズ像を取り出した。

紳治郎は驚いた。喋る男にそっくりだったからだ。

「俺の好きな彫刻を、紳治郎のアバターにしてもらったんだ。憧れ続けるのは勝手だが、喋る男が新しいテレビを作ることに集中しろ」

新海は目を離さずに言った。

大役のプレッシャーを少しでも忘れようと、疾川探しをしているんじゃないか、と新海は言い放った。

それ以来、頭の中にあった疾川のことが薄らいでいった。正確には『バーチャルミュージアム』のこと以外、考える余裕がなくなったのだ。

一日の大半、生身の人間でいるより、喋る男として過ごす時間の方が多くなった。自分でいるとプレッシャーに押しつぶされそうになるので、資料を貪《むさぼ》るように読み込み、ブツブツと呟き、言語化していく。

そして、喋る男の姿で、美術館を歩き回り、実際の作品を描写する。その喋りに対して、ディレクターたちに感想やダメ出しをもらう。当初、ディレクターたちは遠慮して褒めるばかりだったが、紳治郎がしつこく意見を求めると、自分なりの意見を語り出した。それはどれも的を射たもので、自分では気がつかない貴重な意見だった。

それを元に練り直し、またみんなの前で披露する。すると、喋りの補強になるよ
うないい意見が飛び出す。準備したものを、仲間に見せ、意見をもらい、それを更
に練り直す。毎日、それをひたすら繰り返した。
帰宅しても『バーチャルミュージアム』のことは頭から離れなかった。
紳治郎はリモコンを持ち、テレビ画面を見つめ、口を動かしていた。巻き戻しを
する時だけ、口を動かすのをやめるが、それ以外は常に口を動かし無音で喋ってい
た。何時間喋り続けただろうか、何度巻き戻ししただろうか、外はすっかり暗くな
っていたが電気もつけずにいた。
トミーに電話をかけ、「哺乳類の筋肉の動きに関する資料を集めてくれないか」
と告げた。
「昨日、送ったVTRはもう観たんですか？」
「今、観終わった。それでウサギの動きに対する疑問が湧いてきたんだ」
「20時間分のVTR、もう観たんですか……」
「それと、乙巻に描かれている、麒麟、獏《ばく》、龍、犀《さい》を拡大した写真が欲しい」
「ちょっと待ってください。追いつきません……」と慌《あわ》てた声が聞こえる。
紳治郎はノートを見ながら、今度は新たに揃えて欲しい資料映像を告げた。
ノートには鳥獣人物戯画に登場する動物の繊細なスケッチと生態が書いてあっ

た。

紳治郎は電話を切ると、VTRを再生し喋り始めた。

時折、VTRを止め、伸びた髭を触りながら、ブツブツ呟く。

動物たちの躍動感、泣き声、風の音、木々のざわめき、時代の匂いをどう言葉にするか、疾川だったらどう語るかを思案していた。

一時停止した画面には蛙のアップが映っていた。

大きく口を開け世の中を憂いている。

無常の世を生きながら、佇《たたず》まいはどこか滑稽に見える。その心情を描写したい。

紳治郎はマグカップの液体をゆっくりと飲み干した。

「うーん、まずい」

すりおろした大根にハチミツと生姜《しょうが》汁を加えた喉を潤すお手製ドリンクだった。

資料を読みながらソファーに身を沈めると、そのまま眠ってしまった。夢を見ていた。学生時代に付き合ってた彼女が、冷たい眼差しで言った。

「私、もがかないヤツ大っ嫌いなんだ」

彼女は美大生だった。

紳治郎が、毎日お題目のように、あー、アナウンサーになりたい、と言っていた頃の話だ。

自分をどうアピールしていいのかわからない紳治郎は、ことごとく面接に落ち続けていた。

彼女は呆れた顔で、「意識が、あの人にしか向いてないんだよね。アナウンサーになりたいんじゃなくて、疾川順太郎になりたいんじゃ、どこの局も、あー、うざい奴って思うだけでしょ」

疾川の真似をすることくらいしか出来なかったのだ。

「模写がいくら上手くても、自分の線を持たない人は画家にはなれないんだよ。君は、アナウンサーになって何をしたいの？　なってから考えるなんて答えはダメだからね。映画監督になってから、撮りたい作品を考える人なんて、一生かかっても監督にはなれない。アナウンサーは手段であって、目的は何を喋りたいかじゃないの？」

彼女の部屋には段ボール箱が何箱もあり、中に数えきれない程のスケッチがあった。

人物、動植物、建物、あらゆる物事が意のままに描かれていた。

一心不乱に描かれた線は、自分の中に潜むオリジナルを引き出そうとしていた。

「創作することが日常じゃないとプロにはなれないの。何を描くかとか、自分の描きたいものはとか考えちゃダメ。描くことは、どれだけ手を動かしたか、それしかない。ある日、何かが降りてきて名作ができることなんてない」

紳治郎は、貪るようにスケッチを観た。彼女の自信は、この膨大なスケッチが下支えしていた。そこまでしてやっと自信が滲《にじ》み出てくるのだ。

「売れるとか売れないとか、飯が食える食えないとかで、プロとアマチュアを分ける人がいるけど、それは違って、気が向けば絵を描くのがアマチュアで、息をするように描き続けるのがプロなの」

彼女の言葉は心に刺さったが、それに報いるほどの能力を持ち合わせていなかった。紳治郎はこの言葉を忘れることはなかった。

自分は喋り続けるしかないのだ。

来る日も来る日も、本番さながらに描写して回った。

やたら手足の長い細身の男が、誰もいない美術館をうろうろする。それに慣れてくると自分の肉体より、アバターの方に主体性を感じる時がある。

この姿で生まれてきた気にさえなる。

自分自身とは精神のことで、身体は常に借り物なのかもしれない。

そう思うと、肌の色、容姿で、差別することが滑稽に思えた。

この美術館の作品のすべても何かの借り物。本質は精神にある。それを言葉にすればいいのだ。

放送時間に合わせて、一つの作品にどれくらい時間をかけ、どんなペースで美術館を巡るのが理想なのか、を身体に叩き込む。

日夜荒行とも言える課題を自らに突きつけて、紳治郎はそれを超え続けた。

そんな自分の姿を疾川がどこかで見ていてほしい。

紳治郎は酷使してきた喉に注射を打った。

尋常じゃないプレッシャーで喉の筋肉が固まったのだった。

ステロイドで声帯を広げながら、喋り続けた。

『バーチャルミュージアム』当日

生放送、六時間前。

『みんなのテレビ』でも、頻繁に告知スポットが流れた。

高揚感に溢れたテレビ特有のお祭りムードが、日堂テレビに活気をもたらしている。

今夜、日本だけではなく、世界各地から、視聴者がアバターとなり『バーチャルミュージアム』に訪れる。スタジオではスタッフが朝から分刻みでリハーサルを繰り返していた。技術的なことが主なので、時間を持て余した紳治郎は喫茶店『クール』にいた。

マスターが、「いよいよ、本番だね」と言った。

なんとアバターとして参加するという。

「緊張しないの？　台本はもう頭の中に入ってるの？」と一度に二つの質問をされた。

緊張感があれば緊張はしないものだ。

本番ギリギリまで台本をチェックするアナウンサーもいるが、紳治郎は細胞レベルまで内容が染み渡れば、あとは出たとこ勝負と決めている。

そうこたえようとした時、扉が開いて、永野が入ってきた。

「やっぱりいた」と許可もしてないのに目の前に腰を下ろした。

「あのさ、俺はマスターと話していたとこなんだよ……」

と視線を向けたが、マスターはスマホをいじっていた。

永野はどうでもいい話題を一方的に喋った後、少し間を開けて、どうでもよくないことを言った。

「あのー、やっぱやめとこうかな……」

「なに、その意味ありげな顔、気になるだろ」

「でも、本番前だし……」

「余計、気になるだろ」

じゃあ言いますけど、と念を押して、

「新海さん、社長を辞めるらしいですよ」と言った。

思わず立ち上がっていた。

「ていうか、本番前にそんな話するんじゃないよ」

永野は軽く頭をさげた。

「誰に聞いた？　理由は？　自分から言ったのか？　それとも解任されたのか？」

「一度に何個も質問しないでくださいよ」

話が衝撃的過ぎて、理解できない。買収、最適化、新たなテレビを作り上げるところまで改革を進めてきた功労者なのに、どうして辞めなくてはならないのか。

ネタ元は父親からだった。詳しいことまでは教えてくれなかったという。

「明日、社長会見で発表するらしいですよ」

生放送、一時間前。

アバターを身に纏った視聴者たちが続々とログインしてきた。

控室で放送開始を待つアバターたちの前に、忍者のアバターが浮かび上がり、前説を始めた。

「本日は『バーチャルミュージアム』にようこそお越しいただきました。七時丁度になりますと番組が始まります。そこで初めてみなさんに『バーチャルミュージアム』の全貌をお見せします。楽しみですね！　では、それではもう暫《しば》くお待ちくださ い。拙者はここらでドロンいたします」

と忍者は姿を消した。

生放送、一分前。

紳治郎はゴーグルをつけ、『マザー』の中にあるブースで本番の時を待った。

タイムキーパーが本番へのカウントダウンが始めた。

まもなく七時の時報だ。

オンエアの文字が赤く灯った。

本番まで、三秒前、二、一……、

「本番スタート」と若林の声が副調整室に響いた。

最初に映し出されたのは控室にいるアバターたちだった。

アバターたちが反応していると、いきなり天井が消え、大空が広がった。次の瞬間、壁面が勢いよく四方に倒れ、一面、緑が広がるだだっ広い草原になった。

そこに閃光《せんこう》が走り、大地に隕石《いんせき》のような塊《かたまり》が激突し、大きな穴を空けた。その穴に巨大な美術館が現れた。

大きなゲートがゆっくりと開いた。

アバターたちは歩き出し中へと入っていく。

中でアバターたちを出迎えたのは『喋る男』だった。

「本日はようこそお越しいただきました。本日の案内人をつとめます。わたくし喋る男と申します」

アバターたちは興奮した声や身振りを見せそれを歓迎した。

喋る男は最初の扉を開け、アバターたちを中に招き入れると、三百六十度、壁一面に絵巻が広がった。


——日本最古の漫画と称されるいにしえのワンダーランド『鳥獣人物戯画』。ここから日本の漫画、アニメーションへとつながる歴史が動き出したのです。

笹を一本担いだウサギが動き出した。それを皮切りに、次々と他の動物たちが動き出した。

喋る男は相撲をとるウサギと蛙、水浴びをする猿、追いかけっこする動物の姿を描写した。

アバターたちは、動物たちに付いて回り、様々な光景を目撃した。

舞を舞う猿の集団に、松明《たいまつ》をかかげ熱狂する動物たち。さっきまで陽気に戯れていた動物たちは、互いの目も見ずに、スマホのようなものを凝視している。


――ウサギが蛙に問いかけています。

「君が持っているその板はなんだい？」

「須磨穂と言うお札さ。これさえあれば修行を積まなくても賢くなれるし、欲望もすぐ届けてくれるんだ」

「君はそれで幸せかい」

「大丈夫、なんでも届けてくれるからね」

須磨穂と呼ばれるお札から漏れた光が、蛙の顔を青白く照らしていた。

――この扉の前にお集まりください。

と喋る男が呼びかけると、四方八方からアバターたちが集まった。

扉を開けると、目に飛び込んできたのは、見上げるほどの大きな彫刻だった。筋肉質で均整がとれた肉体美が堂々と立っていた。

アバターたちを引率し、彫刻の周りを一周する。三百六十度、どの角度からも見ることができる。

——こちらはミケランジェロの快作、ダビデ像です。イスラエル王国のダビデは巨人ゴリアテに向かって岩石を投げようと狙いを定めているところです。

紳治郎は作品の細部を言葉にし、材質の特徴を話し、作者の人生を語り、アバターたちをその時代に誘った。

副調整室のトミーが、「ものすごいアクセス数です」とSNSの投稿数を叫んだ。

——彫刻に触れてみてください。

そう促すと、アバターたちは彫刻に触れた。

細部にわたり感触を確かめる者、思わずほお擦りする者、さまざまな反応が起きた。

作品の感触を味わえる美術館。物に触れられるテレビ。新しいテレビが始まったのだ。

「世界の『トレンド』入りしました」とトミーの興奮した声が副調整室に響いた。

美術館ではめくるめく展開が起きていた。

一万年前の縄文時代の土偶たちの行進が始まった。

全体的に丸みを帯び、重心が下にあり、豊かな胸と腰が生命の豊饒《ほうじょう》さを物語る『縄文のビーナス』。

すっきりとした身体のライン、W字の胸、腰高の八頭身の『縄文の女神』。

顔の大半がゴーグルのような目、宇宙人にも見える人間離れした姿の『遮光器土偶』。

それらの土偶が列をなし、こちらへと歩いてくる。

――生きることそのものがカタチになった土偶に、本当の豊かさを感じます。

喋る男が、絵画を指すと絵画が動き出した。

無差別爆撃の惨状が目の前に広がった。

ピカソの『ゲルニカ』の中で止まっていた時がいきなり動き出した。

芸術家たちの思いを、現代のテレビマンたちが最新の技術で今に伝えた。

伊藤若冲の『鳥獣花木図屏風《びょうぶ》』に描かれた、カラス、象、虎、鳳凰《ほうおう》が、部屋から部屋へと越境するように大移動している。

そこへ、ママチャリに乗ったマリア様が前後のチャイルドシートに天使を乗せ、猛スピードで横切っていった。

——空想は無限大に広がります。それを映し出すのがテレビです。

その瞬間を、観客たちは共犯者となって目撃する。街頭テレビの熱気がそこにあった。

最後の部屋に続く扉の前にやってきた。

——いよいよ最後の作品です。

扉の前にアバターの群れができた。最後の作品を心待ちにしている。

喋る男が合図すると、ゆっくりと扉が開いた。中から溢れ出た光は徐々に四方八方へと広がり、アバターたちを照らした。

あまりの眩《まぶ》しさにアバターたちは手で顔を覆った。

作品は逆光でおぼろげなシルエットしか見えない。

扉が完全に開いたあたりで、照明が落ち、その数秒後、作品にスポットライトが当たった。

浮かびあがったのはミケランジェロの彫刻、『ピエタ』だった。

群れから歓声が沸き上がった。十字架から降ろされたイエスを抱きかかえる聖母マリアはまるで本物の人間のように見えた。奇抜なコスチュームを身にまとったアバターたちとの対比がそう思わせたのかもしれない。

紳治郎は、アバターたちに向かって、言葉を発した。


——アバターに化身し、『ピエタ』を見ているみなさんは、十字架から降ろされたキリストの亡骸《なきがら》に何を感じるのか？

紳治郎が言葉を発するその横で、マリアはキリストを抱き上げ、立ち上がり、ゆっくりと歩き出した。

アバターたちはそれを間近で体験している。

奥の扉が開くと、そこから光が差し込み、マリアは光の中に消えていった。

――まさにマリアに抱きかかえられるキリストこそ、アバターであり、その御霊は、みなさんの心の中に今も生きているのではないのか。

アバターたちは拍手の代わりに、身体中を動かし賞賛した。

ここで生放送が終了した。

副調整室で若林が叫んだ。

「よし、オッケー」

スタッフから拍手が沸き起こった。親子ほど年の差があるスタッフが抱き合っている。

紳治郎はゴーグルをつけたまま、へたりこんだ。

翌日、ネットは『喋る男』のことで持ちきりだったが、視聴率はひと桁だった。

それが現実。それでも毎日、放送を送り続けるのがテレビ局の役割だ。

この年、ネットフューチャーは配信事業の展開を世界百九十ヵ国以上にまで広げ、百五十七億ドルの売り上げを上げた。

生放送の翌日、新海の社長辞任が発表された。

新社長は親会社『アンドリュー』から来ると知ったマスコミは、「日堂テレビが乗っ取られた日」という見出しをデカデカと掲げ、テレビの凋落《ちょうらく》を書き立てた。

紳治郎は記事を読んで憤った。

「会社はどうなるんだよ」と若林に愚痴を言うと、口元を緩ませ、「今以上に忙しくなるな」と言った。

その意味がわかったのは、瓜坂が招集したＡＩ開発局の会議だった。『マザー』に集まったスタッフを前に、「私は本日限りでＡＩ開発局を去ります。代わりに就任された新局長をご紹介します」と扉の方を見た。入ってきたのは新海だった。、

「社長を廃業して、今日からみなさんと番組を作ります。よろしくお願いします。頼むぞ、喋る男」

紳治郎はこくりと頷いたが、あまりにも新海が哀れに思えた。

社内の改革を推し進めて来たのに、一段落すると、会社は非情にも新海を辞任させたのだ。

新海は「みなさん」と見回し、「特に喋る男さん、今回のＡＩ開発局に来たの

は、私のたっての希望です」と言った。

瓜坂は、「新海さんに、新しい日堂テレビの仕組みを作っていただきました。『みんなのテレビ』『バーチャルミュージアム』の道筋を作ってくれたのは新海さんです。買収の時、新海さんはある条件を出されました。それは仕組みができたところで現場に戻して欲しいということです」と続けた。

紳治郎が声を出せずにいると、「だから忙しくなるぞって言ったろ」と若林が肩を叩いた。

「なんで教えてくれないんだよ」と紳治郎が口を尖らせて言うと、

「本番前に、永野にリークさせたんだけどな」とウィンクした。

紳治郎が全てを飲み込んだ時、もう一つ発表があった。

日堂テレビの新社長に就任したのは瓜坂だった。

「マジか……」

局長になった新海はすぐに会議を開いた。ＡＩのサポートで作業時間に余裕ができたスタッフは積極的に、視聴者がアバターとなって参加できる企画を提案した。

数年ぶりに現場の空気を吸うことになった新海はどんな采配を振るのだろう。

ワクワクと緊張感が同時に押し寄せる。新海の番組はいつもそうだった。

新海の目に止まった企画は、ギターに心得のある視聴者がアバターでミュージシャンとなりライブで演奏する『一万本のギターセッション』だったり、アバターたちが一九四五年三月十日の東京にタイムスリップして、東京大空襲を体験する『もしも今日、戦争がやってきたら』だったり、入院患者のみ参加できる合コンパーティー『今から病院を抜け出しませんか』などだった。

中でも、かつて事件やスキャンダルを起こしテレビから姿を消した芸能人、有名人がアバターになり、心情を吐露する、公開トーク番組『セカンドチャンス』は新海以外のスタッフにも評判が高かった。

企画を考えたディレクターは、

「この企画は単に一度姿を消したタレントを引っ張り出して、話題を作ろうというものではありません。日本には水に流すという言葉があります。過去のことを反省してもらい、今の気持ちをちゃんと聞いた上で復活の糸口を作ってあげるのが、この番組です。そのトークの進行を是非、喋る男で行きたいと思います」と言った。

「よし、リストを作って、今、どんな状況か取材しよう」と企画を考えたディレクターに指示を出した。

「出演者が本気になる最高のステージを用意するのが俺たち裏方の仕事だぞ」

あの頃の新海が戻ってきた。

会議の後、『マザー』には新海、若林、紳治郎が残った。新海と若林は顔を見合わせた後、紳治郎を見た。

「もう一つ、全力でやってほしい企画があるんだ」と若林が言った。

新海は目を瞑ったまま聞いていた。

「実はな……」と若林は口籠る。何故か、目に涙を溜《た》めていた。

「なんだ、どうした？」

「共演してほしい人がいるんだ」

「こうなったらなんでもするよ」

「疾川さんと共演してほしい」

共演者の名前を告げられた瞬間、時が止まった。

「疾川さんは今、入院されている。病名は筋萎縮性側索硬化症。ＡＬＳという難病だ」

新海は目を開き、「あの日、紳治郎が訪ねても会えなかったのは病院を移ったからだ」と言った。

「やっぱり知ってたんですか」

「ＡＬＳは身体中の筋肉が劣っていく病気だ。ある日、突然、箸すら持てなくなる。手足が腫《は》れ、筋肉が痙攣《けいれん》して痛みが襲う。引退されたのは、これが原因だ」

「治るみこみは？」

と聞くと新海は首を横に振った。

「身体中の筋肉が衰えた先に待っているのは話せなくなることだ。そうなる前に紳治郎と共演したいと、ご本人が言ってきたんだ」

ＡＬＳと診断された疾川は、いくつも病院を回ったが、進行を止められるという医者は現れなかった。その時、即座に引退を選んだという。

それから疾川は、運動麻痺や筋力低下を防ぐためリハビリを行ったが、筋肉量は落ち続け、ついには寝たきりになってしまった。しかし、声帯の筋肉の衰えを奇跡的に遅らせることができたという。

「身体の自由がきかなくなっても、喋ることへの執着はすさまじく、決して諦めようとはしない」

「でも、どうやって共演するんですか」

「疾川さんがアバターの姿を借りて喋るんだ」

あと一ヵ月もすれば、病状は進行し、声すら出せない状態になると、新海は時間がないことを強調した。喋ることの楽しさ、辛さ、全てを教えてくれた天才が、今、言葉を失おうとしている。

それに報いるのは喋ること以外にないのだ。

夢に見続けたこと

新海は紳治郎に今、疾川が入院している病院を教えてくれた。そこにいけば疾川に会える。

紳治郎は住所をカーナビにセットし、車を走らせた。

車内には広沢虎造の浪曲が流れていた。昭和の初めその名調子は虎造節と呼ばれ、ラジオ浪曲ブームを牽引した。

——そこいくと江戸っ子だい。
ナゲー話が短くって済んじまうんだ、
これを唱えてざっくばらんてんだ。
呑みねぇ。呑めるんだろ、鼻がアケーや。

高速を下りると、カーナビは山道へと誘導した。街灯もなく闇に包まれたワインディングロードを一筋のヘッドライトだけが照らした。紳治郎は歌でも歌うように、虎造の声に合わせ喋っていた。

——ご存知、森の石松のお話。

丁度時間となりました。ちょいと一息願いまして、

またのご縁とお預かり。

紳治郎と虎造がうなり終えた頃、カーナビは目的地への到着を告げた。

到着時刻を見ると、午後五時を回っていた。もう辺りは暗かった。

建物に近づくと、待ち構えていたようにゲートが開いた。病院というより山荘のような佇まいだ。空いているスペースに車を止める。ゆっくりとゲートが閉まり、玄関に灯りが灯った。

まるで誰かに見られているようだ。

係員に誘導され建物の中へ足を踏み入れた。

木目で統一された受付にはミッドセンチュリーの家具が置かれ、壁にアメリカの有名な写真家の作品が飾ってある。ここは本当に病院なのか。

あらかじめ連絡してあったので、医師らしい白衣の男が現れ、奥へと案内され

た。

　重厚な木製の扉の前で止まった。

「中で疾川さんがお待ちです」と白衣の男は言い残し去った。

　ついに疾川に会う日がきた。この瞬間をどれだけ待ちわびたことだろうか。

　紳治郎はゆっくりと扉を開けた。

　病室というより、書斎のようだ。古い暖炉がある。

　煤《すす》がまだらについた古い暖炉では樺《かば》の木が燃えていた。

　部屋の中央に椅子がある。紳治郎がそこに座ると、前方にスクリーンが降りてきた。

　同時に辺りは暗くなり、スクリーンに、灰色の岩を荒削りしたような彫刻が現れ、そこに人の顔が浮かび上がった。

「火は落ち着くな」と彫刻が喋った。紛れもなく疾川の声だった。

「初めまして、日堂テレビアナウンサーの安道紳治郎です」

　紳治郎は立ち上がり頭を下げた。

「もう二、三本、焼《く》べてくれるか」

　紳治郎は、積まれた薪から太めのものを選んで暖炉に焼べた。

　断面の方を下にして、互い違いに置くと、薪と薪の隙間から炎が上がった。

パチパチと音を立て、樹皮の辺りから火が大きくなった。

「やっと会えたな。今の俺はベッドの上で寝たきりの状態だ。借り物の体は、有名なスイスの彫刻家の作品らしい。もうじき俺は喋ることができなくなる。人生の薪が燃え終わるんだ」

「まだまだ、薪はあります。いつでも焼べるので言ってください」と言うとアバターが微笑んだ。

ここから沈黙が続いた。何か喋らなければ。色々な言葉が頭をよぎったが、紳治郎は内ポケットからボールペン取り出すと、啖呵売をまくしたてた。

——日本には三大万年筆と称しまして、サンエス、ウォーターマン、パイロットと高いお値段を出さなくちゃ買えないような万年筆が沢山ございました。

紳治郎は喋り終わるとアバターが拍手をした。そして、喋りだした。

——一は万物の始まり、二は憎まれっ子世にはびこる、三十三は女の大厄、三で死んだが三島のお仙。三、三、ロッッポウ引くべからず、これを引くのが男の度胸、女が愛嬌で、坊主がお経……

アバターが喋り終わると紳治郎は喋り出した。

――下谷の山崎町を出まして、あれから上野の山下ィやってまいりまして、三枚橋を渡って上野広小路へ出てまいります。

紳治郎は喋るほどに、えも言われぬ充足感に包まれた。

憧れ続けた喋り手といる。まさに『トーキングジャム』だ。

二人は、『外郎売』を、一緒に奏でた。

――拙者親方と申すは、お立ち会いの中に、ご存じのお方も御座りましょうが、御江戸を発って二十里上方、相州小田原一色町をお過ぎなされて、青物町を登りへおいでなさるれば、欄干橋虎屋藤右衛門、只今は剃髪致して、円斎となのりまする。

口調、息遣い、トーン、全てが揃い言葉のユニゾンを作った。

バイオリンとビオラが奏でる二重奏、ピアノとサックスが即興でセッションするジャズのようでもある。

喋るほどに高揚感が身体中に湧いてきた。

目の前にいるのは、紛れもなく疾川順太郎だ。

目の前にいる疾川は機関銃のような速さでまくしたてる。高速で弾むように飛び出した言葉たちは水揚げされた魚群のように光り輝き、一語一語が鮮明に耳に飛び込んでくる。

嫌味のないトーン、伸びやかなテノールの音域の中にブルース歌手のようなしゃがれた音が共鳴している。

響きが豊かで耳に心地いい。喋ることは演奏なのだ。

会話の途中で言葉が途切れ、咳き込むようになった。

大丈夫ですか、と繰り返すが返事はない。

少し経って、先ほどの張りのある声とは打って変わり、苦しそうにアバターは喋った。

「あまりにも楽しすぎて、無理をしてしまった……」

「もう十分です。疾川さん、休んでください」

「最後に……」

言葉の隙間から息を切らす音が聞こえた。

疾川は振り絞るような声で喋り続けた。

「俺は、ありとあらゆるものを言葉にしてきた。言葉はたかが空気の振動だ。言葉を発したそばから、消えてなくなる。誰かの耳に侵入し、心を揺さぶれば、また誰かが言葉を発する。雨になり、コップの水になり、身体を通って、絶え間なく水が循環するように言葉は語り継がれ生き続ける。だからこそ一言一言に魂を込めて、誰かの心を揺さぶり続けろ。それが俺たち喋り手の仕事だ」

そう言うとアバターはゆっくりと消えていった。

今、疾川の言葉は紳治郎の耳に侵入し、心を大きく揺さぶった。身体中の細胞が力強くざわついている。

紳治郎は深々とモニターに頭を下げた。


『トーキングジャム』

言葉は映像だ。言葉は物語だ。言葉は匂いだ。言葉は色彩だ。言葉は居場所を気づかせてくれる地図だ。

その魅力、難しさ、怖さ、悲しみ、喜びを教えてくれたのは疾川だ。ありとあらゆる光景を言葉で浮き彫りにすると、その瞬間がこの世に存在した意味が見えてくる。

『トーキングジャム』は間もなく本番を迎える。疾川がライフワークとした喋りのバトルが今ヴァーチャルで蘇るのだ。

トミーがデザインしたコロシアムは、荒涼たる大地に希望のように出現していた。

喋り手の殿堂にふさわしく、所々にマイクを形取った彫刻が彫られている。積み上げられた壁にはいたるところにモニターが埋め込まれ、テレビが伝えてきた歴史的シーンがアナウンスとともに流れている。

これは映像の記録だが、言葉の記録でもある。

決定的瞬間に一番ふさわしい言葉がはまった。タイミングとクオリティが重なり合い感動を伝えた。瞬間と言葉の奇跡的な出会いなのだ。

四方八方から、無数の点が現れた。コロシアムへ向かう観客たちだ。

みな世界中の自宅に居ながらにして、思い思いのアバターを身にまとい、コロシアムを目指す。心は時空を超えてやってくる。コロシアムに向かう、おびただしい色彩の行進は、とても美しかった。

かつて街頭テレビに群がり、熱狂をともにした視聴者は、今、テレビの中に入り、その熱狂を共有しようとしている。

視聴者をわくわくさせるために考え抜かれたコンテンツを同じ時間にみんなで共有する。テレビはそういうメディアだ。

それを変えずに、わくわくを追求し続ければ、テレビは生まれ変われる。

同時間帯に、視聴者の心を一つにするメディアでい続けられればテレビは大丈夫だ。

それが、新しいテレビの始まりなのだ。

紳治郎はブースで運命の時を待っていた。

まもなく憧れの疾川順太郎と同じステージに立つ。

イヤホン越しに新海の声がした。

「まもなく本番だ」

紳治郎は立ち上がるとゆっくりゴーグルをかけた。

モニターに映った『喋る男』はゆっくりと歩き出した。

とめどなく湧き上がる興奮を感じながら。

本書は文庫書下ろし作品です。

|著者| 樋口卓治　1964年、北海道生まれ。放送作家として「笑っていいとも！」「Qさま!!」「お願い！　ランキング」「中居正広の金曜日のスマたちへ」「林修の今でしょ！講座」などを担当し、2012年、『ボクの妻と結婚してください。』で小説家デビュー。他の著作に『もう一度、お父さんと呼んでくれ。』『「ファミリーラブストーリー」』『続・ボクの妻と結婚してください。』などがある。

喋《しゃべ》る男《おとこ》

樋口卓治《ひぐちたくじ》

講談社文庫

定価はカバーに
表示してあります

2020年8月12日第1刷発行

発行者——渡瀬昌彦
発行所——株式会社　講談社
東京都文京区音羽2-12-21　〒112-8001
電話　出版（03）5395-3510
　　　販売（03）5395-5817
　　　業務（03）5395-3615

Printed in Japan

デザイン—菊地信義
本文データ制作—講談社デジタル製作
印刷———豊国印刷株式会社
製本———株式会社国宝社

ISBN978-4-06-520700-0

講談社文庫刊行の辞

二十一世紀の到来を目睫に望みながら、われわれはいま、人類史上かつて例を見ない巨大な転換期をむかえようとしている。

世界も、日本も、激動の予兆に対する期待とおののきを内に蔵して、未知の時代に歩み入ろうとしている。このときにあたり、創業の人野間清治の「ナショナル・エデュケイター」への志を現代に甦らせようと意図して、われわれはここに古今の文芸作品はいうまでもなく、ひろく人文・社会・自然の諸科学から東西の名著を網羅する、新しい綜合文庫の発刊を決意した。

激動の転換期はまた断絶の時代である。われわれは戦後二十五年間の出版文化のありかたへの深い反省をこめて、この断絶の時代にあえて人間的な持続を求めようとする。いたずらに浮薄な商業主義のあだ花を追い求めることなく、長期にわたって良書に生命をあたえようとつとめるところにしか、今後の出版文化の真の繁栄はあり得ないと信じるからである。

同時にわれわれはこの綜合文庫の刊行を通じて、人文・社会・自然の諸科学が、結局人間の学にほかならないことを立証しようと願っている。かつて知識とは、「汝自身を知る」ことにつきていた。現代社会の瑣末な情報の氾濫のなかから、力強い知識の源泉を掘り起し、技術文明のただなかに、生きた人間の姿を復活させること。それこそわれわれの切なる希求である。

われわれは権威に盲従せず、俗流に媚びることなく、渾然一体となって日本の「草の根」をかたちづくる若く新しい世代の人々に、心をこめてこの新しい綜合文庫をおくり届けたい。それは知識の泉であるとともに感受性のふるさとであり、もっとも有機的に組織され、社会に開かれた万人のための大学をめざしている。大方の支援と協力を衷心より切望してやまない。

一九七一年七月

野間省一

多和田葉子
ヒナギクのお茶の場合／海に落とした名前
解説＝木村朗子　年譜＝谷口幸代

パンクな舞台美術家と作家の交流を描く「ヒナギクのお茶の場合」（泉鏡花文学賞）、レシートの束から記憶を探す「海に落とした名前」ほか全米図書賞作家の傑作九篇。

たＡＣ６
978-4-06-519513-0

多和田葉子
雲をつかむ話／ボルドーの義兄
解説＝岩川ありさ　年譜＝谷口幸代

読売文学賞・芸術選奨文科大臣賞受賞の「雲をつかむ話」。ドイツ語で発表した後、日本語に転じた「ボルドーの義兄」。世界的な読者を持つ日本人作家の魅惑の二篇。

たＡＣ５
978-4-06-515395-6

深水黎一郎　世界で一つだけの殺し方
深水黎一郎　ミステリー・アリーナ
深水黎一郎　倒叙の四季〈破られた完全犯罪〉
藤谷　治　花や今宵の
深町秋生　ダウン・バイ・ロー
古市憲寿　働き方は「自分」で決める
船瀬俊介　かんたん「1日1食」!!〈万病が治る！ 20歳若返る！〉
二上　剛　黒薔薇　刑事課強行犯係 神木恭子
二上　剛　ダーク・リバー〈暴力犯係長 葛城みずき〉
藤野可織　おはなしして子ちゃん
古野まほろ　身元不明《ジェーンドウ》〈特殊殺人対策官 箱崎ひかり〉
古野まほろ　陰陽少女
藤崎　翔　時間を止めてみたんだが
藤井邦夫　大江戸閻魔帳《えんまちょう》
藤井邦夫　三つの顔〈大江戸閻魔帳(二)〉
藤井邦夫　渡世人〈大江戸閻魔帳(三)〉
藤井邦夫　笑う女〈大江戸閻魔帳(四)〉
福澤徹三　糸柳寿昭　忌《い》み地〈怪談社奇聞録〉
辺見　庸　抵抗論

星　新一　エヌ氏の遊園地
星　新一編　ショートショートの広場①〜⑨
本田靖春　不当逮捕
保阪正康　昭和史七つの謎
保阪正康　昭和史七つの謎Part2
保坂和志　未明の闘争(上)(下)
堀江敏幸　熊の敷石
堀江敏幸　燃焼のための習作
本格ミステリ作家クラブ編　探偵の殺される夜〈本格短編ベスト・セレクション〉
本格ミステリ作家クラブ編　墓守刑事の昔語り〈本格短編ベスト・セレクション〉
本格ミステリ作家クラブ編　子ども狼ゼミナール〈本格短編ベスト・セレクション〉
本格ミステリ作家クラブ編　ベスト本格ミステリTOP5〈短編傑作選001〉
本格ミステリ作家クラブ編　ベスト本格ミステリTOP5〈短編傑作選002〉
本格ミステリ作家クラブ編　ベスト本格ミステリTOP5〈短編傑作選003〉
本格ミステリ作家クラブ編　ベスト本格ミステリTOP5〈短編傑作選004〉
本格ミステリ作家クラブ選・編　本格王2019
星野智幸　夜は終わらない(上)(下)
本多孝好　君の隣に
穂村　弘　整形前夜

穂村　弘　ぼくの短歌ノート
堀川アサコ　幻想郵便局
堀川アサコ　幻想映画館
堀川アサコ　幻想日記店
堀川アサコ　幻想探偵社
堀川アサコ　幻想温泉郷
堀川アサコ　幻想短編集
堀川アサコ　幻想寝台車
堀川アサコ　幻想蒸気船
堀川アサコ　大奥の座敷童子
堀川アサコ　おちゃっぴい〈大江戸八百八〉
堀川アサコ　月下におくる(上)(下)〈沖田総司青春録〉
堀川アサコ　芳《ほう》一《いち》
堀川アサコ　月夜彦
堀川アサコ　魔法使ひ
本城雅人　境界〈横浜中華街・潜伏捜査〉
本城雅人　スカウト・デイズ
本城雅人　スカウト・バトル
本城雅人　嗤うエース

三浦綾子 愛すること信ずること
三浦明博 滅びのモノクローム
三浦明博 五郎丸の生涯
宮尾登美子 新装版 天璋院篤姫 (上)(下)
宮尾登美子 新装版 一絃の琴
宮尾登美子 東福門院和子《まさこ》の涙 (上)(下) 〈レジェンド歴史時代小説〉
皆川博子 クロコダイル路地
宮本輝 ひとたびはポプラに臥す 1〜6
宮本輝 骸骨ビルの庭 (上)(下)
宮本輝 新装版 二十歳《はたち》の火影《ほかげ》
宮本輝 新装版 命の器
宮本輝 新装版 避暑地の猫
宮本輝 新装版 ここに地終わり 海始まる (上)(下)
宮本輝 新装版 花の降る午後 (上)(下)
宮本輝 新装版 オレンジの壺 (上)(下)
宮本輝 にぎやかな天地 (上)(下)
宮本輝 新装版 朝の歓び (上)(下)
宮城谷昌光 俠骨記
宮城谷昌光 夏姫春秋 (上)(下)
宮城谷昌光 花の歳月
宮城谷昌光 重《ちょう》耳《じ》 (全三冊)
宮城谷昌光 介《かい》子《し》推《すい》
宮城谷昌光 孟嘗君 全五冊
宮城谷昌光 春秋の名君
宮城谷昌光 子産 (上)(下)
宮城谷昌光 湖底の城 〈呉越春秋〉一
宮城谷昌光 湖底の城 〈呉越春秋〉二
宮城谷昌光 湖底の城 〈呉越春秋〉三
宮城谷昌光 湖底の城 〈呉越春秋〉四
宮城谷昌光 湖底の城 〈呉越春秋〉五
宮城谷昌光 湖底の城 〈呉越春秋〉六
宮城谷昌光 湖底の城 〈呉越春秋〉七
宮城谷昌光 湖底の城 八
水木しげる コミック昭和史1 〈関東大震災〜満州事変〉
水木しげる コミック昭和史2 〈満州事変〜日中全面戦争〉
水木しげる コミック昭和史3 〈日中全面戦争〜太平洋戦争開始〉
水木しげる コミック昭和史4 〈太平洋戦争前半〉
水木しげる コミック昭和史5 〈太平洋戦争後半〉
水木しげる コミック昭和史6 〈終戦から朝鮮戦争〉
水木しげる コミック昭和史7 〈講和から復興〉
水木しげる コミック昭和史8 〈高度成長以降〉
水木しげる 総員玉砕せよ！
水木しげる 敗走記
水木しげる 白い旗
水木しげる 姑《クー》娘《ニャン》
水木しげる 決定版 日本妖怪大全 〈妖怪・あの世・神様〉
水木しげる ほんまにオレはアホやろか
宮部みゆき ステップファザー・ステップ
宮部みゆき 新装版 震える岩 〈霊験お初捕物控〉
宮部みゆき 新装版 天狗風 〈霊験お初捕物控〉
宮部みゆき ICO《イコ》—霧の城— (上)(下)
宮部みゆき ぼんくら (上)(下)
宮部みゆき 新装版 日暮らし (上)(下)
宮部みゆき おまえさん (上)(下)
宮部みゆき 小暮写眞館 (上)(下)
宮子あずさ 看護婦が見つめた人間が死ぬということ
宮子あずさ 看護婦が見つめた人間が病むということ

山田風太郎 甲賀忍法帖〈山田風太郎忍法帖①〉
山田風太郎 伊賀忍法帖〈山田風太郎忍法帖③〉
山田風太郎 忍法八犬伝〈山田風太郎忍法帖④〉
山田風太郎 魔界転生(上)(下)〈山田風太郎忍法帖⑥⑦〉
山田風太郎 風来忍法帖〈山田風太郎忍法帖⑪〉
山田風太郎 新装版 戦中派不戦日記
山田正紀 大江戸ミッション・インポッシブル〈顔役を消せ〉
山田正紀 大江戸ミッション・インポッシブル〈幽霊船を奪え〉
山田詠美 晩年の子供
山田詠美 A《エイ》2《トゥ》Z《ズイ》
山田詠美 ジェントルマン
山田詠美 珠玉の短編
柳家小三治 ま・く・ら
柳家小三治 もひとつま・く・ら
柳家小三治 バ・イ・ク
山口雅也 垂里冴子のお見合いと推理
山本一力 深川黄表紙掛取り帖
山本一力 牡丹酒〈深川黄表紙掛取り帖(二)〉
山本一力 ジョン・マン1 波濤編
山本一力 ジョン・マン2 大洋編
山本一力 ジョン・マン3 望郷編
山本一力 ジョン・マン4 青雲編
山本一力 ジョン・マン5 立志編
椰月美智子 十二歳
椰月美智子 しずかな日々
椰月美智子 ガミガミ女とスーダラ男
椰月美智子 恋愛小説
椰月美智子 メイクアップ デイズ
柳広司 キング&クイーン
柳広司 怪談
柳広司 ナイト&シャドウ
柳広司 幻影城市
薬丸岳 天使のナイフ
薬丸岳 闇の底
薬丸岳 虚夢
薬丸岳 刑事のまなざし
薬丸岳 逃走
薬丸岳 ハードラック
薬丸岳 その鏡は嘘をつく
薬丸岳 刑事の約束
薬丸岳 Aではない君と
薬丸岳 ガーディアン
薬丸岳 刑事の怒り
矢野龍王 箱の中の天国と地獄
山崎ナオコーラ 論理と感性は相反しない
山崎ナオコーラ 可愛い世の中
山田芳裕 へうげもの 一服
山田芳裕 へうげもの 二服
山田芳裕 へうげもの 三服
山田芳裕 へうげもの 四服
山田芳裕 へうげもの 五服
山田芳裕 へうげもの 六服
山田芳裕 へうげもの 七服
山田芳裕 へうげもの 八服
山田芳裕 へうげもの 九服
山田芳裕 へうげもの 十服
山田芳裕 へうげもの 十一服

2020年6月15日現在